# RÉCIT DE
# LA DERNIÈRE ANNÉE

DU MÊME AUTEUR

BRÈVE ARCADIE, roman, Julliard, 1959, prix Victor Rossel.
L'APPARITION DES ESPRITS, Julliard, 1960. – Ancrage, 1999.
LES BONS SAUVAGES, Julliard, 1966. – Labor, 1992.
LA MÉMOIRE TROUBLE, Gallimard, 1987.
LA FILLE DÉMANTELÉE, Stock, 1990, prix Point de Mire.
LA PLAGE D'OSTENDE, Stock, 1991.
LA LUCARNE, nouvelles, Stock, 1992.
LE BONHEUR DANS LE CRIME, Stock, 1993.
MOI QUI N'AI PAS CONNU LES HOMMES, Stock, 1995.
ORLANDA, Grasset, 1996, prix Médicis ex aequo.
L'ORAGE ROMPU, Grasset, 1998.
DIEU ET MOI, Mille et Une Nuits, 1999.

JACQUELINE HARPMAN

# RÉCIT DE
# LA DERNIÈRE ANNÉE

BERNARD GRASSET
PARIS

# 1

## *Requiem et Kyrie*

Nous allons errant, musardant, pressés ou distraits, ne regardant jamais la vieille femme en noir qui est accroupie à l'horizon, mais elle ne nous quitte pas des yeux. Soudain, la voilà si proche que nous ne pouvons plus l'ignorer. Nous tentons de ralentir le pas, et, terrifiés, nous découvrons que nous ne sommes pas maîtres du temps, il nous pousse par derrière, nous trébuchons, haletants, désespérés, nous cherchons quelque appui, il faut se raccrocher, résister, mais déjà la vague est sur nous et nous emporte hurlant vers le silence.

Cette année-là, l'été commença au mois de mai. Personne n'imaginait que le beau temps pût durer, on évoquait des saisons trompeuses où il avait plu sans discontinuer après un printemps prometteur, mais le ciel restait serein. Parfois un orage éclatait, le soleil revenait dès le lendemain, comme dans les pays du sud. On attendait la nuit tombée pour avoir un peu de fraîcheur et dans Bruxelles, ville en général déserte le soir, les gens se promenaient à minuit, les cafés ne désemplissaient pas avant une heure du matin. Les faubourgs vivaient dehors, on dînait sur la terrasse où l'on avait tiré une table, partout on voyait des lanternes japonaises et de petites flammes flottant dans des verres de toutes les couleurs, on entendait le concert des voix joyeuses, le cliquetis des couverts, les femmes portaient des robes décolletées. Pendant quelques semaines la chaleur changea les façons de vivre, les âmes et les maisons s'ouvrirent, la morosité du nord recula.

A Uccle, le Bosveldweg, chemin du champ du bois, commence comme une rue ordinaire, large et mal pavée, puis se cogne à une haie et devient un passage étroit qui sinue entre les jardins bien tenus. Il y a trente ou quarante ans, le sol appartenait encore aux potagers, son isolement a séduit, on a construit des maisons lumineuses qui abriteraient de grandes familles. Il n'y passe pas de voitures, cette sécurité a attiré les jeunes couples qui voyaient leurs enfants jouant dehors comme dans un village. Pendant quelques années le quartier retentit de leurs cris, puis vint l'université, ils rentrèrent préparer les examens, se marièrent et partirent. Aujourd'hui la rue est habitée par des grands-parents, le bruit reviendra plus tard, après les successions.

Lorsque Mathilde alla vivre avec Louis et que Paul excédé par les longs trajets en tram prit une chambre près de la faculté de médecine, Delphine Maubert se retrouva seule dans la grande maison blanche. Elle n'en fut pas dérangée car c'était une femme attentive aux autres et qui sacrifiait volontiers son confort à leurs besoins. Bientôt, la tranquillité lui plut. Mais les enfants se sentaient confusément gênés d'aller être heureux ailleurs et se souciaient de beaucoup l'entourer. L'année de la grande chaleur, ils préparèrent un dîner d'anniversaire et demandèrent à Pauline Ferrand, leur grand-mère, de venir à Bruxelles. Au moment de souffler les bougies du gâteau, le crépuscule tombait.

— Cinquante! dit Delphine en riant. Je n'y arriverai jamais.

— Tu devrais faire de la gymnastique, affirma Mathilde, tu n'as plus de souffle.

— Ce n'est pas le manque de souffle, c'est l'excès de bougies.

— Mathilde a raison, dit Paul. Désormais, il faudra surveiller ta forme.

Pauline se mit à rire :

— *Désormais* est exquis! As-tu prévu une canne et des bésicles parmi les cadeaux que tu fais à ta mère?

Paul eut l'air penaud :

— Décidément, je manquerai toujours de tact.

— Maman, ne sois pas trop sévère, dit Delphine. Il est jeune, il a le temps.

Pauline soupira :

— L'indulgence des mères envers les fils est proverbiale.

— Et enrage les sœurs, gémit Mathilde. Allons! souffle tes bougies.

Delphine inspira à fond puis exhala avec méthode, allant et venant d'un côté à l'autre du gâteau. Une seule bougie resta allumée, qu'elle éteignit après avoir vigoureusement repris haleine.

— Ouf! les enfants ont raison, je n'ai plus assez d'entraînement.

Louis fit sauter le bouchon, versa le champagne dans les coupes et la soirée acheva de dérouler ses méandres familiers. A minuit, Louis et Mathilde reconduisirent Paul à sa lointaine banlieue, Pauline se retira dans la chambre d'amis. Delphine devant son miroir regarda, étonnée, cette femme de cinquante ans.

— J'ai passé le milieu du chemin de ma vie, dit-elle.

Et fit la grimace.

Elle s'examina longuement, ne trouva aucune ride, aucun flétrissement : Pourtant, je n'ai pas l'air jeune. La douceur et le velouté sont partis, il y a un excès de netteté, les lignes sont aiguës, l'œil un rien creusé, on ne voit pas la cassure, mais je sens qu'elle est là. Les pentes des volcans sont couvertes d'herbe, il y pousse des fleurs sauvages, des imprudents y construisent leur maison, si on colle son oreille au sol peut-être entend-on les prochaines éruptions gronder dans les profondeurs. Je vais vieillir. La vie, cette étrange courbe : on se déploie, puis on décline. J'ai commencé la descente.

Delphine frissonna. Elle eut envie d'écarter ces pensées mais ne put se détacher de son reflet, alors elle tenta le recours à la coquetterie avec un « Suis-je belle ? » qui échoua tout de suite : elle savait qu'elle était belle et que son trouble était ailleurs.

L'autre moitié de ma vie. Avec quelle insouciance on fonce à travers les jours, les regardant défiler comme une réserve inépuisable... Elle se souvint confusément d'un conte, il était question d'une sacoche ou d'une poche magique dont on peut, à l'infini, tirer des pièces d'or, il est prescrit de ne pas l'ouvrir et de ne pas l'explorer. Le héros n'y tient pas, il défait les coutures, examine tout, ne comprend rien, mais le charme est rompu et le curieux perd son trésor. Delphine haussa les épaules puis alla se coucher. Au petit déjeuner, elle parla de vacances à sa mère :

—J'ai envie de retourner en Italie. Si tu m'accompagnais ?

Mme Ferrand eut un petit rire :

— N'y pensons pas! L'Italie en été ne me réussit pas, il y fait trop chaud. Je veux bien passer deux semaines à Nice au plus fort de l'hiver, mais en juillet et en août tu sais bien que je reste chez moi pour m'occuper du jardin. Que ferais-tu de mes rhumatismes sur les plages?

— Je crois que tu ne me vois pas vieillir. Il sera bientôt temps que tu m'enseignes les choses de l'âge.

— Oh! tu les découvriras bien toute seule! On les apprend de son dos, qui fait mal quand on se redresse, des genoux un peu raides le matin, du sommeil qui vient tard et qui finit tôt. Ce sont des secrets de Polichinelle, ne te presse pas de les découvrir.

Delphine sourit :

— Est-on aux commandes?

— Un peu, pas tout à fait. On consent plus ou moins volontiers. Cela me ralentit, mais je ne marche pas courbée, même si c'est pour faire trois pas de mon lit à la commode. J'irais plus vite si je ne prenais pas le temps de me redresser, mais il y a le risque de me voir dans le miroir et je sais bien que je me déplairais.

Delphine insista.

— Nous pourrions aller à Florence, aux Offices. Ou, si tu préfères Rome, revoir la Sixtine?

—Je n'en ai pas envie. Tu ne dois pas m'en vouloir. J'ai encore essayé de planter des buglosses, voilà trois fois que je les rate, je veux voir si elles prendront. Et puis la chatte va mettre bas, j'ai une traduction à finir, je ne peux pas me mettre en retard et perdre un client. D'ailleurs, les enfants comptent passer le mois d'août à Modave. Mais pourquoi me demandes-tu cela ? Es-tu triste ?

— Oui, dit Delphine, et brusquement un flot de larmes lui monta aux yeux. Oui, répéta-t-elle surprise, mais je ne m'en doutais pas.

Mme Ferrand soupira. Quand sa fille était triste, elle se souvenait toujours du temps, si bref, où les chagrins d'enfant ne résistent pas à quelques baisers et à un mot tendre. Et puis, quarante ans pour ne pas s'habituer à l'impuissance ! pensa-t-elle. Delphine savait cela, qu'elle vivait avec Paul et Mathilde : elles se sourirent, proches l'une de l'autre par leur manière d'aimer les enfants.

—Je peux t'accompagner quand même...

— Non. La chatte ne me le pardonnerait pas. Je n'aime pas tellement ces années-ci. Ni chair, ni poisson, ça chèvre-choute entre une dernière odeur de jeunesse et les cheveux qui tournent au blanc. Henri n'aurait pas dû mourir. Seule, j'hésite à vieillir.

— Ils ont toujours tort de mourir, murmura Pauline.

Elles se turent. Quelque chose resta en suspens, dont chacune sentait la pudeur empêcher qu'elle approchât. Des règles obscures gouvernent ce que les mères et les filles peuvent se dire, elles ne sont jamais édictées, tout juste si un silence s'installe, on peut ne pas l'avoir entendu et penser qu'on avait envie de changer de sujet.

— Je crois, si tu ne viens pas, que j'irai en Sardaigne. On m'a dit qu'on y trouve encore des plages désertes.

— Méfie-toi. J'ai vu des reportages dans *Paris-Match*. La foule risque de se mettre en marche.

— Il est toujours possible de s'enfuir.

Qui est cette Delphine Maubert qui vient de me tomber sous la plume ? J'allais tranquille vers mon vieil âge, je pensais avoir oublié l'inquiétude des cinquante ans et regarder calmement mes cheveux grisonner, est-ce un dernier remous de regret ? Peut-être n'en a-t-on jamais fini avec cette jeunesse qu'on croyait éternelle et qui nous file entre les doigts. Je regarde Delphine, qui ne me ressemble pas, j'en jurerais. Elle est grande, mais pas trop, mince et rapide, avec une de ces belles chevelures cendrées qui m'ont toujours fait rêver, la bouche est large, les pommettes très dessinées, on voit que les fées ont pris grand plaisir à se pencher sur son berceau. Je ne la connais pas encore, je sens qu'elle

14

requiert ma présence et que je ne suis pas en état de lui résister.

Delphine voulut croire que son trouble se dissipait. Elle alla au bureau, acheva ses tâches de professeur, donna du travail à ses assistants et se rendit compte qu'elle restait nerveuse. C'était une femme solitaire qui ne confiait que ses plaisirs, jamais ses doutes, elle ne pratiquait pas la confidence entre femmes et n'avait pas d'amie avec qui échanger quelques grognements sur le temps qui passe trop vite. L'homme qui occupait son lit et une partie de son esprit avait depuis quelque temps donné des signes d'absence, elle eut envie de calme et le congédia pour ne pas guetter son départ, après quoi elle se souvint qu'il fallait aller en vacances. Elle prit donc l'avion pour la Sardaigne où elle n'était jamais allée, elle n'avait pas envie de se cogner à des souvenirs. Arrivée à Alghero, elle regarda une carte du pays, décida que, à mi-hauteur de la côte est, Santa Maria Navarese lui conviendrait et s'y fit conduire en taxi, profitant, avec les remords d'usage, du fait que dans les pays pauvres les services sont peu coûteux. On n'y trouvait qu'un hôtel, où toutes les chambres étaient prises, elle fut dirigée vers la maison d'une vieille dame qui, l'été, louait les pièces qu'elle n'occupait pas. Delphine posa sa valise entre une armoire de palissandre et une grande psyché au tain piqueté. Le lit était recouvert d'une dentelle au crochet et la dame lui montra les taies d'oreillers brodées. Delphine entendait assez d'italien pour comprendre :

— Elles étaient dans le trousseau de ma mère. En ce temps-là, les choses duraient. Chaque année, l'un ou l'autre de mes locataires m'en propose une fortune. Mais je ne veux pas les vendre, alors je loue la chambre à un prix plus élevé qu'il n'est d'usage, ce qui me console de ma sagesse. Pour en profiter, il faut faire le voyage jusque chez moi.

Delphine prendrait le petit déjeuner dans la grande cuisine carrelée qu'elle fut invitée à visiter, et le dîner à l'hôtel :

— Il faut m'excuser de ne pas cuisiner, mais je suis si vieille que j'ai tout oublié, sauf les tomates et les pâtes, qui ne sont pas une nourriture convenable pour une jeune femme.

Delphine approuva calmement, comprenant qu'à quatre-vingt-cinq ans on la trouvât jeune.

Tous les soirs, elle dînait sur une terrasse fleurie, buvait un seul verre d'un vin rouge sucré, si fort qu'elle en était saoulée, et se couchait tôt. Ce régime convenait à son teint, les miroirs répétèrent leurs messages rassurants, mais elle n'était pas femme à se laisser berner facilement et se dit que sa route longeait un précipice qu'elle ne quitterait plus.

Dès neuf heures la plage était occupée par les familles qui venaient de la péninsule pour rendre visite aux parents, il y avait beaucoup d'enfants et de radiocassettes. Delphine acheta un grand panier, tous les matins elle y mit un livre, une serviette de bain, deux tomates, un petit pain et une bouteille d'eau minérale qu'elle prenait à l'unique magasin du village. Elle marchait un ou deux kilomètres et trouvait le calme. Quelques grands buissons épineux donnaient de l'ombre, on n'entendait que le faible clapotis de l'eau. Le calme la gagna, à quoi elle reconnut qu'elle l'avait perdu. Elle regardait le ciel, uniformément bleu, la mer qui prenait tout l'horizon, et sentit, par moments, son âme devenir une grande surface lisse. Le paysage n'avait pas changé depuis des millénaires, il passait parfois un bateau, on pouvait fermer les yeux et l'ignorer. Elle oublia l'essoufflement, la hâte qui la portait toujours de tâche en tâche, l'état d'urgence, et le long de cette eau qui n'avait pas de marées elle attendit de se sentir immuable, étale, silencieuse. Elle rêva que bientôt elle aurait l'âme qui se détache du corps et qui flotte doucement, elle regarderait son histoire comme on fait un tableau, en jugeant calmement de la composition et des couleurs. Elle se conçut paisible, arrêtée et contente, et en fut étonnée. Si l'on peut s'imaginer ainsi, cela signifie-t-il qu'on puisse l'être? Il advint alors une chose qui l'étonna beaucoup : elle eut un mouvement de sympathie pour elle-même. Et si j'étais, selon mon propre jugement, une personne estimable ? J'ai vécu à grande vitesse, toujours talonnée par quelque chose, il me semble que les joies et les peines ne m'ont pas laissé de répit et que, depuis l'adolescence, c'est la première fois que je m'arrête. Tout bien pesé, elle avait souvent plu : elle envisagea de se plaire. Il est évident que c'est toujours sous conditions, mais comment les définit-on ? Elle s'amusait : en tout cas, ma compagnie ne m'ennuie pas, voilà que mes pensées me font rire, et j'aime qu'on me fasse rire. Cela me dote d'une qualité qui me convient, il faut m'en trouver d'autres. Je vois la mer et le ciel, j'ai une bouteille d'eau et un morceau de pain, je m'attribuerais volontiers des goûts simples mais je crois que ce serait un peu rapide.

A l'école, on avait parlé de la mode au Grand Siècle, et des portraits. Cela avait fait un sujet de composition française où elle avait été bien notée : J'avais quinze ou seize ans, comment me suis-je décrite ? Peut-être ma mère qui a gardé les choses précieuses dont on ne fera jamais rien a-t-elle encore cela, bien rangé au fond du grenier, et dans quelque vieille caisse traîne l'idée que je me faisais de moi au temps de mon adolescence. Pour aujourd'hui, je ne sais pas. Mais je peux décider de ce que je veux être. Ou bien ne le peut-on pas ?

Jusqu'à quel point règne-t-on sur soi-même ? *Je suis maître de moi comme de l'univers* : voilà une parole qu'on me donnait à admirer en un temps où je croyais tout ce que l'on me disait si c'était bien dit, et puis je n'y ai plus jamais pensé. Delphine jouait doucement avec elle-même. Il lui semblait que, emportée par un cours trop rapide, elle ne s'était plus écoutée depuis des années, qu'elle avait dévalé sa vie comme on fait un torrent et que, sur la rive tranquille où elle était enfin posée, elle haletait encore.

Elle se dit bientôt que la question des moyens venait après celle du choix : qui voudrais-je être ? Sans aucun doute il y a des qualités d'âme dont je ne saurais que faire et d'autres dont la possession m'enchanterait. Il est clair que je ne désire pas particulièrement pratiquer les vertus cardinales qui ne procurent le bonheur qu'après la mort. Je sais déjà que je ne veux pas être ennuyeuse, mais une définition par exclusion ne donne rien à construire. J'aimerais être gaie et raisonnable, ainsi ma propre compagnie me serait plaisante : comme je ne peux pas la quitter il n'y a rien de plus précieux à souhaiter.

Le soleil brillait du matin au soir, on ne voyait pas un nuage, Delphine eut la peau brûlante et un sentiment de plénitude. Elle éprouva qu'il ne lui manquait rien et se dit que si on a, une fois, senti cela le but est atteint. Mais quel but ? Je tourne à la métaphysique ! Tout en essayant de garder l'esprit critique, elle ne pouvait empêcher qu'elle eût l'impression de ne pas se tromper et qu'il faut reconnaître, un jour, qu'on a eu son content. Je ne veux pas devenir goulue, la goinfrerie manque de grâce, cependant l'excès contraire a aussi son ridicule, il est absurde de quitter la table en ayant encore faim par crainte de montrer son appétit. Comment déterminer où j'en suis et ce que je peux encore désirer en gardant de l'estime pour moi-même ?

Mme Maubert flottait ainsi dans une réflexion vagabonde entrecoupée de lectures distraites et de courtes siestes quand il lui sembla que, pour la première fois depuis plusieurs jours, elle n'était plus seule. Elle ouvrit les yeux : à quelques pas, deux garçons accroupis la regardaient s'éveiller Depuis quinze ans, elle connaissait les inconvénients d'être seule sur les plages de la Méditerranée et soupira. Elle tenta de se leurrer : peut-être ceux-ci auraient-ils quelque discrétion et suffirait-il qu'elle leur tournât le dos, ils seraient vexés et s'éloigneraient ? Non. Un *buon giorno* chantant la convainquit que la solitude était finie. Elle se résigna et regarda : un des garçons s'était levé et la contemplait en souriant. Il était beau, certes, mince, bronzé, dix-sept ans ? le poil sombre et abondant, nez fin, épaules larges et muscles durs. Un rêve de touriste. Le sourire s'accentua, il y eut une phrase qui finissait sur un point d'interrogation mais que Delphine n'essaya pas de comprendre, car le garçon qui n'était sans doute pas sûr qu'elle entendît l'italien cherchait à être tout à fait explicite : il se cambra légèrement pour faire connaître, sous le tissu tendu du slip, un début d'érection, destiné sans doute à charmer. Delphine soupira. Elle connaissait les règles de ce jeu et qu'il n'y a pas moyen de faire admettre au joueur qu'il a perdu. Il était cinq heures, elle rentrait en général tôt. Tant pis, se dit-elle, en mettant la serviette-éponge et le livre dans le couffin. Elle enfila sa robe, glissa les pieds dans les sandales et entreprit une retraite bien ordonnée. Prévoyante, elle passa par la partie la plus encombrée de la plage où, comme elle s'y attendait, des familles hélèrent son escorte. Devant les mères, les garçons n'osèrent pas poursuivre leur projet.

Delphine était furieuse. A peine était-elle parvenue à laisser son humeur régir son temps que le monde extérieur lui envoyait des obstacles. Ces jeunes gens veulent baiser, et moi je veux réfléchir mais je puis peut-être réfléchir sans être sur la plage ? Elle rentra lentement, en se prescrivant de savourer la chaleur, l'odeur forte des pins maritimes et l'agrément de se sentir reposée, sans pouvoir empêcher qu'une mauvaise humeur rôdât en elle comme un orage lointain. Je ne veux pas laisser deux garçons dociles aux usages de leur culture me gâcher la soirée. Ils ont vu une femme qu'aucun homme ne gardait, ils ont entrepris de se l'approprier, comme il est prescrit par leur code, qu'y peuvent-ils si ce n'est pas le mien ? Il y avait de la tricherie dans l'air, Delphine soupçonna qu'elle s'en contait sur son désagrément et décida de faire une sieste avant le dîner. Elle enlèverait le couvre-lit au crochet, poserait la tête sur la taie bien amidonnée et laisserait le temps passer dans la fraîcheur de la chambre.

Assise sur la terrasse, la vieille dame brodait. Elle entendit Delphine arriver, leva les yeux et la salua de sa belle voix sonore :

— Vous rentrez plus tôt, aujourd'hui ?

— J'avais envie de fraîcheur.

Elle hocha la tête :

— Quand j'étais jeune, on disait que le soleil est dangereux. A en juger par les gens d'aujourd'hui, ce ne devait pas être vrai.

Delphine sourit :

— Je pense que chaque génération a ses idées fausses. Mes enfants m'ont souvent dit que je ne comprenais rien aux choses, et je l'avais dit à ma mère.

— Ainsi sait-on qui sont les parents et qui sont les enfants.

Cette réponse lui plut, qui assignait un rôle clair

à chacun. La chambre était bien sombre, l'oreiller aussi doux qu'il convenait et cependant Delphine ne retrouva pas le calme. Le fil de sa rêverie ne se renouait pas, les pensées ne s'appelaient plus comme des enfants qui jouent et déroulent une ronde gracieuse qu'aucune règle n'organise. Il eût fallu donner à son esprit un but, le plaisir facile de s'écouter ne revenait pas. Elle ne resta pas longtemps étendue. Levée, vêtue, Delphine se sentit tout à coup désœuvrée.

Le soir, après le dîner, elle resta sur la terrasse de l'auberge. Il faisait très chaud, on attendait la fraîcheur pour rentrer. Elle écoutait le murmure des voix comme on fait une musique, lorsque le serveur déposa devant elle une tasse de café bien odorant. Peut-être les garçons de la plage l'avaient arrachée à la distraction : elle remarqua un regard attentif et un sourire nuancé d'une légère interrogation. Hé quoi! celui-ci aussi? Il suffisait de regarder autour de soi pour comprendre : des couples et des familles, dans un village de couples et de familles, une femme seule et étrangère devait soulever d'immenses espoirs. Est-ce pour cela qu'en vérité je sais depuis toujours que je voulais me faire accompagner par ma mère, comme une fille qui ne peut pas se garder elle-même? On ne vient pas ici sans chaperon si l'on ne veut pas être sollicitée. Rien ne m'empêche d'agréer leur demande, ils doivent avoir des habitudes de discrétion, et la vieille dame ne saurait rien de la visite.

La vigueur de son refus la stupéfia.

Enfin, ce sont là choses que j'ai déjà faites, qui me convenaient et sur quoi je ne me questionnais jamais ? Du moment que je ne dérangeais pas les enfants et que l'homme me plaisait, je ne consultais que le désir ?

Oui, mais maintenant j'ai cinquante ans.

Elle se trouva ridicule, plaida, tança, fulmina et sentit bien qu'elle n'en démordait pas. C'est ainsi qu'elle rentra à Bruxelles plus tôt qu'elle n'avait prévu et se retrouva dans la grande maison tranquille où seuls les gestes quotidiens, les habitudes et le silence lui rendirent le calme.

Delphine n'était pas une femme naturellement portée vers l'introspection, la rêverie sur soi-même n'entrait pas dans ses usages. Elle fut contente de se sentir requise par des exigences plus compréhensibles : s'occuper du jardin, tondre la pelouse, ôter celles des mauvaises herbes qui ne donnent pas de fleurs, couper les roses fanées. Des lectures professionnelles traînaient sur la table de sa chambre, elle les laissa là et alla vers la bibliothèque pour y prendre du divertissement. Ce fut *Autant en emporte le vent* qu'elle n'avait pas relu depuis ses quinze ans, où plonger dans les émois simples des jeunes filles qui se trompent toujours sur ce qu'elles veulent. La tentation de se comparer à Scarlett se débattant dans les rets d'une société mourante passa mais elle l'écarta avec fermeté, prenant juste le temps de se dire que si elle avait pu fuir ses pensées en rentrant chez elle, on ne fuit pas sa maison, et qu'il faut donc la maintenir habitable en n'y tolérant pas une femme ronchonnante. Ainsi fut-elle conduite à un examen attentif de ce qui l'entourait : elle vit de la poussière. Madeleine, qui tenait le ménage, rentrerait bientôt de vacances, cela pouvait attendre, mais certains murs qui étaient censés être blancs avaient tourné au jaune. Elle acheta des pots de peinture, décrocha les tableaux, se mit à l'œuvre et sentit son âme se rapproprier à mesure que le salon blanchissait. Ce fut comme après une tempête modérée, quand le vent tombe, la cime des arbres est encore agitée, mais ce n'est plus qu'une brise, les nuages qui traversent le ciel ne portent plus de menaces, l'herbe se redresse, on rassemble, pour ne plus s'en soucier, les branches brisées et aucun chêne n'a été déraciné.

Il est clair que Delphine Maubert veut penser qu'elle est une femme tranquille. Seule sur la plage, jouant avec les idées, elle était contente, mais une femme tranquille aurait-elle ainsi couru vers l'aéroport ? Ne suffisait-il pas d'écarter les garçons importuns ? Nous avons tous notre folie préférée, celle de Delphine est que la raison la guide. Elle n'a pas le goût de l'inquiétude, c'est un hôte dont elle ne veut pas chez soi. Les tourments, l'hésitation, se torturer de reproches et l'interrogation perpétuelle ne lui plaisent pas. Je devrais peut-être l'en justifier mais je ne vois pas comment argumenter. Sans doute n'échappe-t-elle pas plus qu'une autre au doute : elle ne le donne pas à voir. Ce doit être une coquetterie dont j'avoue qu'elle ne me déplaît pas.

Elle était devenue informaticienne à cause des Encyclopédistes : elle avait quinze ans lorsque le professeur de français consacra un cours au projet de rassembler tout le savoir de l'humanité en quelques volumes pour le rendre facilement accessible à l'honnête homme qui voudrait en jouir. Mais dans le même mouvement Mademoiselle Barthe expliqua que le XX$^e$ siècle en sait trop et que ce n'est plus possible, un seul esprit n'est pas en état de tout contenir. Delphine entendit bientôt parler des ordinateurs et de leurs mémoires, elle connut que sa voie était là. Elle rêva d'une machine où tout se trouverait enregistré. Même si trente ans plus tard ce n'était pas fait, elle ne déchanta pas : rien, en mathématiques, n'interdisait de penser que cela se ferait un jour. Il me plaît qu'une vocation aussi sérieuse soit fondée sur une rêverie d'adolescente. Elle devint professeur d'informatique et amateur de science-fiction : on y voit des cerveaux électroniques géants, quelles programmations admirables on pourrait inventer pour eux !

Quand le salon fut repeint, Delphine téléphona à sa mère pour lui annoncer son retour, et ne lui parla pas de sa fuite.

— Déjà ? dit Pauline.

— Tu avais raison, il faisait trop chaud.

Mathilde qui était à Modave achevait de boire le café du petit déjeuner en regardant sa grand-mère raccrocher et rester rêveuse.

— Ta mère me trouble.

— Elle n'arrive pas encore à programmer ses cinquante ans à son gré. Mais peut-être est-ce difficile ? Comment as-tu fait ?

— C'est que je n'y ai pas du tout pensé.

Mathilde réfléchit.

— Tu ne vivais pas seule. Ce doit être différent.

— Je me demande pourquoi elle ne s'est pas remariée. Cela l'oblige à choisir entre la chasteté et les amants. A-t-elle un homme ?

— Hé ! Je n'en sais rien ! Une fille critique sa mère mais ne la questionne pas sur sa vie amoureuse. Interroge-la.

— Je ne peux pas : une mère critique sa fille mais ne la questionne pas davantage. Nous sommes sous la même loi.

27

— Pas exactement. Disons qu'elles sont symétriques.

— En tout cas, elles nous condamnent également à la perplexité.

Paul entra dans la cuisine, échevelé et bâillant. Il avait pris une semaine de congé entre deux stages et se consacrait principalement à dormir.

— Ta grand-mère se demande pourquoi ta mère ne s'est pas remariée, dit Mathilde en lui tendant le pain.

— Ce ne sont pas là des questions que l'on peut traiter à l'aube. Ma mère est une sainte femme qui s'est consacrée toute à l'éducation de ses enfants.

— Alors, c'est manqué, ou tu saurais que dix heures du matin, ce n'est plus l'aube.

— Déjà dix heures !

Quand il eut l'esprit moins embrumé, il fronça les sourcils :

— Pourquoi vous souciez-vous du mariage de ma mère ? Avez-vous un épouseur ?

— Nous nous interrogeons sur l'état de son âme.

— Au XX$^e$ siècle, on ne traite plus les états d'âme avec des maris, dit-il transposant dans le langage de son temps l'éternel désagrément des fils à qui l'on rappelle que leur mère est une femme.

Comme il faisait beau, il alla s'étendre au jardin. Il espérait que la science se trompait et qu'on peut faire provision de sommeil pour le moment où l'on n'aura pas le temps de dormir.

Pauline restait soucieuse, Mathilde lui proposa d'aller aux nouvelles.

— Je peux toujours prétendre que Louis me rappelle et me menace des pires sévices si je ne le rejoins pas.

— Elle n'en croira rien.

— C'est vrai. Alors, je peux lui dire la vérité et que tu t'inquiètes ?

— Une inquiétude si forte que je n'ose pas la montrer l'épouvanterait. Je lis parfois les hebdomadaires qui jonchent le salon quand tu es là : la mode que l'on y voit me paraît affreuse, mais les robes Charleston semblaient horribles à ma mère. J'y trouve des articles assurant qu'une femme peut encore être aimée après cinquante ans et que la ménopause n'existe plus.

— Ne crains rien, elle ne lit jamais ce genre de choses, et puis supposer qu'elle ne peut pas inventer ses crises existentielles elle-même et doit en trouver le modèle dans *Marie-Claire* serait la calomnier.

— Crise existentielle ! Ah ! que cela est beau ! La langue s'enrichit tous les jours ! Sais-tu que la coiffeuse qui me fait les mises en plis a changé d'enseigne : elle est désormais capillicultrice.

— Peuh ! La province a du retard. En ville, on se rend à la coifferie.

—Je n'y tiens plus! J'y vais, et en passant, je ferai visite à ta mère.

Delphine, ayant rangé ses états d'âme avec ses pots de peinture, montra gaiement les murs blanchis et si Pauline ne fut pas tout à fait dupe du hâle ni du latex frais, elle jugea que la situation n'était pas telle que leurs habitudes de pudeur eussent à être bouleversées. Elle rentra, rassura Mathilde et alla arroser ses buglosses. Mais Delphine n'était pas aussi paisible qu'elle souhaitait le croire et le faire croire. Elle retourna à son bureau avant la date prévue, en s'expliquant que personne n'était encore rentré et qu'elle aurait la paix pour réfléchir à des questions qu'il faut toujours remettre à plus tard : c'est qu'elle ne parvenait pas à user agréablement de son oisiveté. Sans doute le travail la divertirait? Bientôt septembre arriva, qui ramenait les mondanités. Il faut que je sorte, se dit Mme Maubert qui fit l'achat d'une robe et se rendit à une réception. Que veut une femme, sinon une robe et des compliments? Elle arriva d'excellente humeur. La fleur de la bonne société était réunie. On était élégant, intelligent, au fait des idées à la mode. Il y avait les adeptes des diverses perversions sexuelles de bon ton, les cocaïnomanes discrets, les alcooliques capables de rester diserts au cœur d'une bouteille de whisky et la figuration obligatoire pour orner la terrasse, les abords du buffet et les allées du jardin. Les conversations allaient grand train, où l'on pouvait entendre comparer le Hilton de Marrakech à celui du Caire, janvier à Rio ou à Megève, la BMW et l'Alfa Romeo, à moins que ce ne fussent d'autres lieux et d'autres marques, ma mémoire n'est pas toujours sans reproche. A condition d'avoir le bon système de décodage, on pouvait apprendre qui allait tomber en faillite, quels divorces se préparaient et avec qui il était élégant de coucher, bref, tout ce qu'il faut pour s'ennuyer à mourir. Delphine avait l'impression d'avancer à travers une forêt de lieux communs d'une vitalité effrayante. La poignée de main a été remplacée par l'embrassade, elle aurait baisé vingt joues si elle n'avait prudemment esquivé. La mode n'aurait pas dû prescrire en même temps les baisers et le rouge à lèvres brillant, donc gras, pensait-elle avec désespoir devant les bouches menaçantes. On la saluait, on demandait de ses nouvelles, elle disait les mots qu'il fallait et se demandait ce qu'elle faisait là. J'ai un métier sérieux, où j'exerce des fonctions de responsabilité, je ne risque pas ma place, je n'ai pas besoin d'être arriviste car je suis arrivée où je voulais être. Il me semble que tous ces gens sont aux abois, mais je suis pourvue. On vient ici faire des affaires, chercher une compagnie pour son lit, je gagne ma vie et je veux dormir seule. Si quelqu'un ne me dit pas quelque chose d'amusant dans les

deux minutes qui viennent, ai-je la moindre raison
de rester ici?

Mais aller dans le monde pour s'amuser? Je crois
que Delphine avait été trompée par Balzac et par
Stendhal comme nous sommes nombreux à l'avoir
été : ils décrivent avec tant d'esprit les salons où l'on
s'ennuie selon les règles de la bonne compagnie
qu'on prend un vif plaisir à les lire, puis on embrouille tout et comme on s'est amusé à leur
description, on croit que l'on s'amusera dans les
réceptions. N'est-ce pas, d'ailleurs, cela qui est prescrit? On ne dit pas «Venez vous ennuyer chez
moi, tel jour à six heures» puisque le bon sens
serait de répondre que l'on peut faire cela chez soi,
ce qui n'est pas vrai, on s'ennuie moins fort seul.
Dans les deux minutes qu'elle avait accordées à la
société qui l'entourait pour la divertir, il fut dit à
Delphine qu'elle avait bonne mine, que le temps
était exceptionnellement beau, il pleut toujours
quand on prévoit de dresser le buffet dans le jardin,
on lui demanda si elle avait vu les Geilfus qui ren-
traient de Russie et si elle avait lu le best-seller de
l'été. Elle s'en alla donc, se mit au lit et passa une
heure dans les plantations de Géorgie auprès de
Scarlett O'Hara qui avait été best-seller dans les
années 40.

Mais enfin, pourquoi *Autant en emporte le vent*?
Pourquoi une femme troublée par son âge choisit-
elle cette lecture-là? Quelle rêverie la guide, que
rien d'autre ne pouvait nourrir? Elle a hésité, le
soir où elle l'a pris dans la bibliothèque : je la vois
encore, debout à quelques pas des livres, de là on
ne peut pas lire les titres, mais on reconnaît les
volumes, les couleurs familières. Son regard errait
le long des rayons et son esprit était distrait, les pensées passaient, trop rapides pour être arrêtées.
Delphine cherchait en soi la lecture dont elle avait
envie, parmi ses souvenirs, là où les amours des
romans brillent de tous leurs feux, où les amants
font trembler les vierges intouchables, où les
flammes consument les âmes et ne laissent au cœur
que des cendres. Des profondeurs, il venait un
soupir de jeune fille, le mouvement d'une robe dans
la valse, une aspiration qui ne dit pas son objet et la
promesse des larmes. Les mots ne se formèrent pas,
mais la main de Delphine se dirigea vers le gros
livre mal broché dont la couverture de papier trop
fin avait séché et s'effritait, comme si cette main
savait mieux que son esprit ce dont elle avait envie.
Une fille de seize ans se souvenait des rêveries qui
l'avaient habitée et ne voulait rien savoir de la
femme qui avait traversé toute une vie, l'avenir
était plein de promesses admirables, elle attendait
les émerveillements. Elle ne savait rien d'Henri, qui

était mort, des enfants, qui avaient grandi, du métier, devenu si familier qu'il n'étonnait plus. Sa mère était encore jeune, son père vivait, ils ne comptaient pas car ils étaient des grandes personnes, des gens d'un autre univers, et la Delphine d'aujourd'hui, celle qui avait parcouru une à une toutes les minutes et toutes les heures de sa vie, aurait voulu retrouver l'enfant dont la mère n'avait pas de rides et qui n'avait encore pleuré que pour Rhett Butler. On ne peut pas renouer avec soi-même. Chacun de nos âges est intact en nous et définitivement emprisonné dans les coffres scellés de la mémoire, le parfum furtif des madeleines est une imposture, juste une illusion qui passe et que l'on recherche en vain, jamais on ne retrouve la réalité des voix qui résonnent et des bras qui enlacent. Delphine espérait confusément un livre qui lui rendrait un moment de sa vie enfoui dans les tréfonds, très loin, très loin, égaré sous les couches du temps. L'amour était si beau quand on l'imaginait, quelle amante y résiste ? A quinze ans, on rêve son avenir, elle espéra, peut-être, qu'elle allait commencer à rêver son passé.

Atlanta commençait à brûler quand, ne pouvant plus tenir les yeux ouverts, elle referma l'épais volume. Cependant elle ne s'endormit pas. Passé le temps des amours, que peut-il arriver à une femme ? Mais à un homme ? On les dépeint cou-

rant la gamine au-delà du bon sens – heureux s'ils
ont le goût du pouvoir, voilà un jeu qui dure
jusqu'au bout. Une femme y reste mal vue. Après la
vénusté, il lui est accordé de conduire ses petits-
enfants à la plaine de jeux. Ninon de Lenclos plaisait encore à quatre-vingts ans? Pour les autres,
l'histoire s'achève. Delphine se rendit compte qu'en
écartant le jeune homme de Sardaigne elle avait,
sans le décider, mis un point final à quelque chose
et se demanda ce qu'elle attendait de Rhett Butler.
Un amour clandestin? Elle se moqua : il serait
grand, il serait beau, il sentirait bon le sable chaud,
et vit qu'elle était enfermée dans un modèle où
Roméo ne devient pas quinquagénaire. Mais sais-je
encore comment aimer? Et l'ai-je jamais su?
Henri, c'était il y a si longtemps... Elle se souvenait
pourtant du désir, de ce tremblement qui gagne
sans cesse du terrain, du trouble et du terrible émoi
la première fois qu'une main insiste, qu'un regard
s'appuie, il lui sembla que ces tempêtes-là retom-
bent bien vite et qu'aimer, jadis, avait eu à voir
avec une aspiration sans issue, qu'elle était dans les
bras d'Henri et qu'elle ne pouvait pas rejoindre, au-
delà des peaux qui se touchent, quelque chose
qu'elle ne savait comment nommer. Alors, je courais au plaisir, mais il m'a semblé, je crois, que
c'était un leurre, et puis nous nous sommes mis à
être heureux. Cela envahissait, le bonheur colma-

tait les trous, ou si c'est l'absence de bonheur qui fait les trous, il n'y en aurait que dans le malheur ? Mais que de mouvement ! Tout ce plaisir à vivre, les enfants, Henri, le travail, les livres, la maison, les voyages, la musique. Ah ! quand je m'en souviens, il me semble que j'étouffe !

Elle fut si surprise par cette pensée qu'elle sursauta. La chambre était bien obscure, la nuit calme : Je suis dans mon lit, au seuil de la solitude et de ce nouvel âge qui m'attend, avec du renoncement partout, et lorsque je me remémore la profusion de jadis, je dis que j'étouffe ? Je veux donc ces jours silencieux et cette grève déserte que je vais parcourir ? Quand je dis que j'ai passé le temps des tumultes, je crois constater, et je souhaiterais ?

Elle évoqua les amants après la mort d'Henri, cette ronde aimable : Quelques hommes charmants m'ont trouvée charmante, nous avons dîné, dansé, bu et baisé. Je les quittais toujours, ou bien ils me quittaient ? en vérité, je ne sais plus, il me semble que nous étions dociles à je ne sais quelle consigne comme des danseurs au chorégraphe : entrée, un jeté, entrechat, porté, arabesque, et puis c'est fini, l'un va côté cour et l'autre côté jardin. Applaudissements. Je n'ai donc plus jamais eu la fièvre ? Suis-je vraiment devenue cette femme policée, qui a des amants de bonne compagnie ? N'ai-je plus été sauvage ?

Et, naturellement, après quelque temps, Delphine qui continuait à être attrayante fut sollicitée par un homme attrayant. Un âge acceptable, une belle position sociale, une élégance style laine vierge et cuir naturel, libre, car après avoir quitté une épouse pour une jeune fille il avait, regrettable retour des choses, été quitté pour un jeune homme. Mathilde l'aperçut un soir où il emmenait Delphine dîner en ville :

— Mais c'est un rêve, cet homme-là, dit-elle le lendemain. C'est Clark Gable, Alain Delon et Hippolyte Girardot rassemblés, il réunit en sa personne un siècle de sex-appeal. Tu dois l'épouser !

— C'est bien ce qu'il souhaite. Comme son ex-femme ne veut plus de lui, il en cherche une autre.

— Tu as mon consentement et ta mère donnera le sien. Je me charge de Paul.

— Mais je n'ai pas le mien.

Comment diable fait-on pour être amoureuse ? Elle s'examinait le cœur devant cet homme désirable et qui la désirait mais se surprenait à réprimer des bâillements. A qui, d'elle ou de lui, manquait-il quelque chose ? Il possédait, dans une campagne proche, une maison ancienne au milieu d'un jardin où l'automne avait un parfum bien humide et bien nostalgique. En ville, il savait dans quel restaurant on prépare le pot-au-feu avec amour, et connaissait des parcs très secrets où personne ne va. Il riait excellemment avec un éventail de petites rides au coin des yeux, mais Delphine ne rêvait pas et se demandait ce qu'elle voulait.

— Peut-être s'il avait un défaut ? dit Mathilde.

— Hé ! mais c'en est un que de ne pas faire rêver !

Elles rirent ensemble, le défaut était rédhibitoire.

— Un homme qui date son sauternes sans erreur, mais je me moque des vins. J'ai roulé dix fois à ses côtés avant de me rendre compte qu'il a deux voitures : elles sont à peu près de la même couleur. Il dit qu'il veut m'emmener à Venise, c'est justement Tokyo que je veux voir.

— Tu fais la mauvaise tête !

— Je crois que j'ai quitté l'âge des passions : je ne suis pas sûre que ce soit une raison de me marier.

Delphine le savait : sa fille ne la trouvait pas sérieuse. Mathilde avait douze ans quand elle l'avait regardée d'un air réprobateur :

— Les mamans des autres filles mettent un tablier pour cuisiner, avait-elle dit.

— Tu trouves ça plus joli ?

Une longue discussion sur la signification morale du vêtement avait suivi. Aujourd'hui, Mathilde regardait sa mère avec la même expression.

— Mais si tu ne veux pas l'épouser, tu peux au moins sortir avec lui ?

— Sortir, dans le sens de ta génération, qui est de rentrer pour aller au lit, ou dans le sens de la mienne qui est d'aller au-dehors ?

— Maman, tu le sais bien : quelles que soient les générations, les filles ne conçoivent pas que les mères fassent certaines choses. Dans le sens de ta génération.

— Que veux-tu, si je dîne avec lui et que je l'accompagne au cinéma, il considère que je déclare aimer sa compagnie. De là à penser que je promets quelque chose... Il a de bonnes manières et me laisse le temps : mais moi il me paraîtrait immoral d'entretenir l'espoir chez un homme dont je sens bien que je le décevrai, et de sortir quand je ne veux pas rentrer.

Delphine se souvint du premier amant après la mort d'Henri : Hé! là j'ai encore tremblé! Elle l'avait invité à dîner avec plusieurs personnes, mais Mathilde ne s'y était pas trompée et, avec un flair de limier furieux, avait aussitôt deviné l'amant afin de bien le détester. Quand la liaison fut terminée, la fille se dressa devant la mère et déclara : —Je t'avais bien dit qu'il n'était pas fameux! Dix ans plus tard, elle voulait le Clark Gable. Craindrait-elle que, seule, je ne devienne pesante, ou, avec Louis qui la rend heureuse, se sentirait-elle trop bien pourvue à côté de mes cinquante ans et de mon célibat?

— Décide si tu reprends du poisson et dis-moi pourquoi tu veux me marier. Je te sens comme on décrivait les mères inquiètes qui veulent caser leur fille et qui sont mortes de peur qu'elle ne leur reste sur les bras.

— Je ne veux plus de poisson, tu féliciteras Madeleine pour sa sauce hollandaise, mais je trouve que cette famille commence à manquer d'hommes. On ne voit presque plus Paul qui a épousé un hôpital et depuis la mort de Grand-père les dîners de Noël tournent au harem.

— Il y a les cousins. Si tu veux, je demanderai leur adresse à ma mère.

— Jamais ! je les ai vus à Modave : l'un d'eux ne parle que d'impôts et l'autre m'a dit que, certainement, à mon âge je devais être de gauche, mais que cela me passerait en vieillissant. Tu m'inquiètes à écarter les hommes comme tu fais : es-tu déprimée ?

— Non, pour autant que je sache ce que cela veut dire, rassure-toi, j'ai bon appétit, le sommeil vigoureux, l'intestin libre et je suis contente d'être retournée au travail car j'ai des choses amusantes à faire. Mais je ne veux pas m'encombrer et, avec toutes ses grâces, le Clark Gable me semble pesant. Il a des idées très précises sur la vie à deux : on va voir les mêmes films et on en discute ensuite en prenant un verre, tant pis si on se lève tôt le lendemain, on se couche en même temps, qu'on ait sommeil plus tôt ou plus tard que l'autre, on fait l'amour tous les deux jours, excuse-moi.

— Oh! dit Mathilde, je suppose qu'il s'agit d'une généralisation qui ne te concerne pas particulièrement.

— Tu es bien bonne. En effet, ce n'est encore qu'un programme. Et il veut que je change de voiture, il me paierait même la nouvelle, si je le souhaite, car il trouve que la mienne, cabossée comme elle est, n'est plus digne de moi.

— Au secours! Une voiture qui t'est fidèle depuis dix ans! Peut-être offrirait-il de petits tabliers de dentelle à Madeleine?

— Tu as toujours été obsédée par les tabliers. Je veux vivre à mon rythme et garder ma voiture. Je n'ai jamais quitté une voiture la première, ce n'est pas à mon âge que je vais changer cela.

— Ni ton entêtement.

— Félicite-t'en : tu en as hérité. Et laisse-moi à mon célibat.


Elles s'amusent. Depuis quelques années, chacune trouve la compagnie de l'autre fort agréable. Un code discret régit leur relation, auquel les infractions sont tolérées si elles sont rares. Mathilde donne à Delphine des conseils sur la façon de vivre, mais Delphine n'en propose jamais, par contre elle est consultée sur les questions d'argent. Elles font souvent leurs achats de vêtements ensemble, chacune considère que l'autre a un goût déplorable et cherche à l'amender. Delphine n'a pas consulté sa fille pour la robe qu'elle portait à la réception afin de ne pas exposer l'humeur où elle était. Quand Mme Maubert reçoit, Mathilde passe en coup de vent vérifier qu'elle n'a oublié ni les peanuts ni les chips, Delphine s'en voudrait presque de les avoir achetés. Elles sont attentives l'une à l'autre et restent parfois un mois sans se voir.

Mais pas cet automne.

Mathilde était obscurément troublée par le ton retenu de sa mère, elle téléphona à Pauline :

— C'est vrai qu'elle rend perplexe. Elle a l'air content et on sent qu'elle ne dit pas tout.

— Une femme a droit à sa vie privée ?

— Justement, elle n'a pas l'air d'en avoir. Il semble que les hommes l'ennuient.

— C'est que, parfois, ils sont ennuyeux ?

— Oh ! Grand-mère ! Aurais-tu oublié ?

— Ne crois pas cela. Je viens d'être demandée en mariage par un de mes voisins. Quand il a vu de quelle façon je tiens mon jardin et que je réussis le lapin aux pruneaux aussi bien que sa mère, il a proposé que nous unissions nos solitudes. Je lui ai dit qu'il pouvait venir prendre le thé aussi souvent qu'il voulait, mais que, hors ce moment-là, je ne suis jamais seule, ce qui laisserait peu de temps pour notre union.

— Louis cherche un endroit tranquille où achever d'écrire sa thèse. Veux-tu que je te l'envoie ? Il te servira de chaperon.

— Il peut venir. Je sens qu'il me sera délicieux d'être chaperonnée.

Le Clark Gable fut éconduit, Louis passa huit jours à Modave, les buglosses ne poussèrent pas, Paul changea de petite amie comme il faisait deux fois par an, ce que Delphine trouvait essoufflant, et l'été fut vaincu par les fortes pluies de septembre. Les choses pourraient en rester là, je serais distraite, je ne penserais plus à Delphine et son destin resterait en suspens, rien ne m'oblige à poursuivre le meurtre entrepris.

Le meurtre ?

Je sentais bien qu'il y avait du carnage dans l'air. Il rôdait une ombre silencieuse aux babines retroussées, grondante et qui salive déjà, la mort, sa mort, notre mort, souveraine des entrailles, qui croît dans nos corps, s'empare de nous seconde après seconde et nous mange le temps. Ah ! quand j'écris ces mots, je vois tomber les têtes, Julien Sorel décapité, Catherine Earnshaw morte en couches, Heathcliff détruit par le désespoir, la Dame aux Camélias par le bacille de Koch, la Princesse de Clèves s'éteignant froide dans son couvent, Ellénore tuée par Adolphe et Madame de Mortsauf par Balzac, Dracula réduit en poussière par la lumière du jour, Lucien de Rubempré pendu, Swann, Lorenzaccio, les pâles mortes de Poe, morne cohorte de victimes, que de morts, mon Dieu! que de morts nous ont peuplé l'esprit! A vingt ans, on a beau avancer, l'avenir reste toujours hors d'atteinte, il me semble que, depuis quelques années, il ne recule plus aussi vite que j'avance. Je cherche à ralentir mon pas, j'ai l'œil sur la montre et l'aiguille tourne.

Parfois il me semble que ma vie court à son terme, même elle galope et m'essouffle. Je me regrette. Mais allez pleurer sur votre mort prochaine avec une excellente santé! C'est une douleur que personne ne prendrait au sérieux, on vous dit que vous avez eu une belle vie, qu'il y en a qui meurent jeunes et que d'ailleurs il n'est pas temps d'y penser. Et si j'y veux penser quand j'ai encore le temps? Mais c'est de mauvais ton, et je suis une personne docile et polie. Alors : Delphine.

Il doit pourtant être vrai que je vieillis, se dit-elle, je suis souvent fatiguée. Et, à Mathilde :

—Je connais mon siècle. On y soutient que les femmes sont encore jeunes à cinquante ans, en 2050 ce sera soixante. Mais avec cette espérance de vie qui s'allonge à n'en plus finir, pense à l'énorme proportion de femmes qui ont atteint la ménopause, et qui se teignent, se pommadent, se font masser, attendant la jeunesse d'une robe ou d'une coiffure et nourrissant les coiffeurs et les esthéticiennes : si elles cessaient d'imaginer qu'elles peuvent encore plaire et se laissaient en paix, il y aurait une crise économique. Partout on prétend leur faire croire qu'elles n'ont qu'un effort à fournir : ainsi elles participent à la prospérité des nations. On évite aussi de les voir les yeux gonflés pleurant leur beauté évanouie et d'avoir à prendre le temps de les consoler.

— Mais ton Clark Gable ?

— C'est qu'il est vieux aussi. Regarde de plus près : il a des tavelures sur les mains et le cou ridé. Je ne veux pas jouer à m'en faire accroire. Je suis contente quand je suis, comme en ce moment, toujours fatiguée de corps et joyeuse d'esprit, cela remet les choses en place.

L'alternative était claire : profiter de son humeur pour commencer à vieillir ou secouer les épaules, faire semblant que le chiffre terrible n'était pas apparu et être rattrapée, au premier tournant, par le spectacle ridicule d'une femme qui cache ses rides. Devant les miroirs : Sans le lifting, dont je ne voudrai pas, il ne me reste pas dix ans. Cela pourrait signifier encore quelques liaisons, à condition d'être à tout instant prête à ce que l'on me quitte, ou à souffrir, ce que je trouve de mauvais goût.

Elle relut, à la fin de *L'éducation sentimentale*, le passage terrible où Madame Arnoux rend visite à Frédéric qui recule devant une mèche grise. Voilà le destin dont je ne veux pas.

— C'est simple, dit-elle à Mathilde, j'interromps les amours. Je ne veux plus de liaisons. Mais, dans dix ans, quand j'aurai les cheveux bien gris et le visage ridé, je me remarierai avec un homme de bon caractère, qui ne sera pas étonné de me voir continuer à vieillir.

# 2

## *Dies Irae*

Alors, elle tomba malade.

— J'ai le nez qui coule, les yeux qui pleurent, la bouche desséchée et mes oreilles fonctionnent à l'envers : au lieu de recevoir les bruits, comme d'honnêtes oreilles ont à faire, elles en émettent, bourdonnent, sifflent et crissent, dit-elle à Pauline. Je ne te parle pas de la toux qui me lacère la poitrine, ni de la gorge qui brûle, je transpire à changer les draps de lit plusieurs fois par jour et je n'ai pas grand appétit.

— Aurais-tu un problème de santé ?

— Eh bien, ce cataclysme incroyable, ce raz de marée, cette fin du monde, c'est ce que le bon Letellier qui sort d'ici nomme un rhume. Je n'ai même pas droit au mot plus noble de grippe car je n'ai pas de fièvre.

— Ma pauvre fille ! Alors que c'est une grande

consolation, si l'on est malade, que la maladie ait un nom poétique.

— Surtout quand les symptômes manquent de grâce. Je te le demande, dans tout Balzac, dans tout Stendhal, voit-on un rhume ?

— A la rigueur, je puis imaginer qu'on y trouve quelque vieillard éternuant, mais pour une femme cela est inconcevable. C'est tout de suite la pneumonie et tu sais comment cela s'attrape : il faut courir à l'aube dans le jardin glacé, et s'abattre essoufflée aux abords d'une pièce d'eau stagnante qui dégage des effluves empoisonnés.

— Tu oublies qu'il faut avoir trente ans. Peut-être à cinquante ans cela ne donne-t-il qu'un rhume ? Il n'y a pas d'eau stagnante dans mon jardin.

— Tu dois t'ennuyer à mourir. Veux-tu que je vienne te tenir compagnie ?

— Tu es un ange, mais je suis contagieuse. Je voulais t'avertir que je ne viendrai pas ce week-end et que tu n'auras pas les livres que je devais t'apporter.

— J'écumerai les librairies de Namur. Console-toi de ton rhume : les cousins qui tiennent tellement à l'accomplissement des devoirs familiaux ont annoncé leur visite pour dimanche, et tu me connais, je n'ai toujours pas osé leur dire qu'ils m'ennuient.

— Ma pauvre! Dis-toi qu'ils ne se sont jamais mariés : tels qu'ils sont, imagine leurs femmes et un après-midi avec elles.

— Tu vas me donner des cauchemars!

Delphine raccrocha, se moucha, s'inonda de divers médicaments et se rendormit. Elle s'attendait chaque fois à se réveiller guérie et fut surprise de voir qu'elle se rétablissait mal. Elle gardait une toux douloureuse et un sentiment de faiblesse qui donnèrent un air de perplexité au médecin. Il la fit passer derrière l'écran de radioscopie et grogna :

— Votre poumon droit est très vilain, dit-il.

Delphine repensa à *la Femme de Trente Ans* et sourit :

— La pneumonie?

— Je voudrais bien.

— Hé! vous tenez des propos effrayants!

— C'est aussi que je veux vous faire peur. Je vous connais, si je vous demande une radio, vous oublierez de prendre rendez-vous et j'aurai vos clichés dans un mois, or je les veux demain.

Il écrivit un mot, le mit dans une enveloppe qu'il ferma et où il inscrivit une adresse.

— Allez là en sortant de chez moi.

Delphine hocha la tête :

— C'est vous qui avez peur?

— Non, j'ai hâte. Je ne suis pas un homme patient. Dépêchez-vous.

Il la poussa vers l'ascenseur, elle fut happée par la circulation de l'après-midi et, bousculée dans un scanner, eut à peine le temps de s'étonner :

— Oh ! nous avons l'habitude avec les médecins, lui répondit-on, quand ils demandent une radio d'urgence, ça finit toujours par un scanner, alors nous commençons par là.

Comme elle avait peu l'habitude de ces choses, elle y crut. Elle surveillait sa montre car elle avait un cours à donner à cinq heures, où elle n'eut que trois minutes de retard, et le soir elle s'abattit épuisée et ne pensa pas à la radio transformée en scanner. Atlanta brûlait toujours, sa relecture n'avançait pas vite car elle ne s'y consacrait que toutes ses tâches accomplies. A quinze ans, pensa-t-elle en refermant le livre, j'y ai passé deux nuits blanches et failli échouer à mes examens de fin d'année, mais il est vrai que maintenant je sais comment cela se termine et que cette sotte de Scarlett ne se comprend jamais qu'avec un jour de retard.

Le lendemain soir, il y eut un coup de sonnette : elle fut très étonnée de voir, lui rendant visite, Lucien Letellier, le médecin.

—Je passais, dit-il, ce qui était évidemment invraisemblable.

Il n'attendit pas le geste d'accueil, alla au salon, s'assit.

— Donnez-moi du whisky et prenez-en aussi.

— Mais je n'aime pas cela !

— Du gin alors, ou du cognac. Ordre médical. Je n'apporte pas de bonnes nouvelles.

— Je supporte le gin si j'y mets du citron. Cela vous convient-il ?

— Du moment que c'est fort. Vous allez passer un mauvais moment. J'ai libéré ma soirée, je resterai avec vous, si vous voulez.

Elle rit :

— Cher Monsieur, cela ne fait pas un si mauvais moment que ça, vous êtes trop modeste.

— Je ne plaisante pas. Il est certain que je ne vaux rien pour ce qu'on nomme, de nos jours, les relations humaines. Quand j'étais jeune, cela s'appelait ne pas avoir de conversation. Ma petite, vous êtes dans de mauvais draps.

Ce *ma petite* fut la première chose qui alerta Delphine, jusqu'ici elle s'était surtout sentie étonnée. Le docteur Letellier, qu'elle nommait ce bon Letellier, la nommait toujours fort poliment Madame et n'avait que quelques années de plus qu'elle. Avec *ma petite* il se mettait tout à coup dans une position d'aîné. Il se désignait comme celui qui sait et elle était l'enfant, mais on n'ordonne pas du gin presque pur à un enfant. Elle but, posa le verre :

— Alors ?

— Je vous avais dit que votre poumon droit est très vilain, n'est-ce pas ? Il est pire que ça.

51

Elle reprit le verre.

— Comme médecin, vous croyez vraiment au pouvoir euphorisant de l'alcool?

— Sur moi, oui.

— Cela doit être vrai. Votre préambule devrait me rendre nerveuse, inquiète. Tout au plus suis-je intriguée. Votre prescription de gin et la laideur de mon poumon font un mélange bizarre. Je vais vider mon verre, mais ne m'en ordonnez pas un second : cela me ferait dormir. J'ai donc un cancer?

— Oui, dit-il.

Elle avait posé la question de façon presque automatique : de tels préliminaires appelaient un mot terrible. Le oui la décontenança. Voilà que je raisonne plus vite que je ne pense, et je me fais dire par cet homme ce que je ne suis pas prête à entendre. Elle fut prompte à concevoir que, sans doute, il y a des paroles pour lesquelles on n'est jamais prêt.

Un regard attentif lui montra que Letellier avait toujours son air soucieux. Tenait-il quelque chose en réserve?

— A en juger par votre air malheureux, c'est grave.

Il inclina la tête, tendit son verre vide à Delphine.

— Mon bon Docteur, vous allez être ivre et de quoi aurez-vous l'air si c'est la malade qui vous ramène titubant à votre femme?

—Je n'ai pas de femme. Elle a divorcé il y a dix ans pour ne plus passer ses soirées seule et elle a épousé un dentiste qui ne sort jamais de chez lui.

— Voilà. Buvez, et quand vous en aurez la force, achevez la sentence.

Il but et la regarda longuement. Ce n'était pas un homme qui pratiquait volontiers l'examen de soi, ni le discours intérieur, mais, comme il faut traduire, voilà ma façon de mettre en mots ce qui se passait dans son esprit : Je n'ai jamais vraiment regardé cette femme que je soigne depuis vingt ans pour de petits maux qui guériraient bien sans moi, mais lorsque je lui prescris des médicaments et qu'elle les prend, nous avons tous les deux le sentiment d'agir selon un code moral qu'il faut respecter. Je ne me suis pas posé de questions sur son caractère, tout au plus sur l'état de son larynx et, l'une ou l'autre fois, de ses articulations : voilà que je sais sur elle, et dois lui communiquer, la chose la plus intime et la plus effrayante du monde. Je suis venu par impulsion, j'aurais pu la convoquer à mon cabinet. Il m'a semblé plus courtois de passer chez elle. Il n'y a pourtant rien de bien courtois dans ce que je dois lui dire. Plus longtemps je me tais, plus je risque de lui faire peur, mais quand j'aurai parlé ?

— C'est inopérable. Tout le médiastin est engagé. Il faudra une biopsie pour confirmer, mais je n'ai aucun doute, c'est typiquement la situation de l'adénocarcinome des glandes à mucus. Cela ne répond pas à la chimiothérapie.

Delphine resta silencieuse. Puis :

— Combien de temps ?

— De six mois à un an.

— Des souffrances ?

— A peu près pas, sauf malchance, et vous les auriez déjà eues.

— Comment meurt-on ?

— D'épuisement. D'abord l'organisme consomme toutes ses forces dans la lutte, puis il abandonne.

— On croise les bras ? On se couche dans la neige et on meurt en ayant chaud ? On ne suffoque pas ?

— Non.

— Pas d'acharnement thérapeutique ?

— Non. Jamais avec moi.

Elle examina son champ de réflexion : y avait-il d'autres questions à poser ? et se rendit confusément compte qu'elle était glacée. Mais cela n'est pas une émotion, pensa-t-elle, sans doute les émotions seraient pour plus tard.

— Pourquoi me l'avez-vous dit ?

— Je veux que vous commenciez tout de suite la radiothérapie. Cela ne vous guérira pas, ne vous stabilisera même pas, mais vous évitera quelques désagréments mineurs dont on peut se passer.

— Oui, dit-elle, je crois que je pourrai me passer des désagréments mineurs.

Puis elle inspira longuement, avec l'impression d'avoir retenu sa respiration pendant des heures. Respirer? pensa-telle, que se passe-t-il là-dedans? On ne sent rien. Je ne suis même pas plus essoufflée que d'habitude.

— Je ne suis pas essoufflée.

— C'est progressif. On s'adapte. Je suis désolé, je n'ai pas été très progressif.

Il avait toujours son air malheureux. Delphine posa doucement la main sur son bras :

— Il n'y avait pas moyen. Il y a toujours un avant et un après. On passe d'un coup. Ne vous inquiétez pas.

— C'est vous qui me rassurez? dit-il, incrédule.

Elle resta perplexe, eut envie de rire, sentit qu'il ne fallait pas, elle devait ménager cet homme qui venait de lui annoncer sa mort : Il est plus ému que moi, se dit-elle. Mais lui, il savait ce qu'il vient de me dire, il a eu le temps d'y penser, et moi je suis devant ses paroles comme devant quelque chose d'immangeable que je dois avaler. J'ai enregistré des informations, elles ne sont pas digérées.

— Mais oui! Il m'arrive quelque chose que je ne comprends pas encore, sans doute est-ce trop violent, il faudra un moment, il m'est plus facile de comprendre ce qui *vous* arrive.

— Que m'arrive-t-il? demanda-t-il étonné.

— D'annoncer sa mort prochaine à une femme

qui ne se doutait de rien. Faites-vous cela tous les jours ? Vous avez bu deux verres de whisky.

— Croyez-vous vraiment que je sois la personne dont il faut s'occuper en ce moment ?

— Je n'en sais rien. Mais je sens bien qu'il m'est plus facile de penser à vous qu'à moi. C'est peut-être un petit mouvement de lâcheté ?

— N'êtes-vous pas un peu folle ?

— Et quand cela serait ? Faut-il être raisonnable à tout prix et à tout moment ?

— Vous avez raison, dit-il. Redonnez-moi du whisky et reprenez du gin, même si cela vous fait dormir. Quelle raison aurions-nous de ne pas nous saouler et de ne pas dormir ?

— La vie est courte, dit Delphine.

Un peu avant minuit, il se leva pour partir. Comme il vacillait Delphine lui dit qu'elle avait une chambre d'ami et qu'il pouvait y dormir. Mais le remplacement qu'il avait prévu finissait à minuit et il devait à la déontologie médicale de dormir à côté de son téléphone. Il prit Delphine dans ses bras, posa deux baisers sur ses joues et oscilla jusqu'à sa voiture.

Letellier m'étonne. Dès ses grognements devant l'écran de radioscopie il m'a intriguée. Les médecins sont plus réservés, était-il déjà si sûr de ce qu'il voyait ? Dans un corps, la mort est inscrite, selon un

code connu de quelques-uns : s'habitue-t-on à être
le premier qui lise le message ? Ce que Letellier ne
dira pas à Delphine, mais que, forcément, je sais,
est que pendant qu'elle roulait à travers la ville
encombrée il a téléphoné au radiologue chez qui il
l'envoyait. Voilà : il était devant une femme qu'il
connaissait mal mais depuis longtemps, elle était
vive, intelligente et réaliste. Il se souvint qu'après la
mort d'Henri Maubert, elle était venue lui
demander des somnifères :

— Je pourrais m'en passer, mais je vois que
l'insomnie me rend nerveuse et je ne crois pas
qu'une mère vite excédée soit ce dont les enfants
ont besoin en ce moment.

Au fond, pensa-t-il en rentrant prudemment chez
lui, déjà alors elle se préoccupait plus des autres que
d'elle-même, comme elle a fait pour moi ce soir. Je
suppose que si je le lui rappelle elle m'expliquera
encore avec une parfaite sincérité que c'est plus
facile.

Est-ce que ce qui nous étonne, Letellier et moi,
est que l'on soit sensible à l'autre ? Ou voudrais-je
ne pas voir que Delphine n'est guère sensible à elle-
même ? Je crois que je suis confusément choquée
par le peu d'émotion. Elle pose les questions qui
s'imposent sur le délai, les souffrances, on ne la sent
pas trembler. Tremble-t-on tout de suite ? N'est-il

pas naturel qu'une sorte d'obscurité se fasse dans l'esprit? Peut-être la voulais-je immédiatement transpercée comme ces héroïnes de jadis qui s'évanouissaient si gracieusement aux émotions fortes, ou qui, le porteur de mauvaises nouvelles n'avait pas fini sa phrase, faisaient un transport au cerveau. On m'avait dit que cela est poétique et j'espérais, le jour où m'arriverait quelque belle catastrophe, pâlir et m'effondrer. Mais non, quoi qu'il se passât, je gardais toute ma tête, comme Delphine. On expliquait pourtant bien clairement que c'est la défaillance qui touche le cœur des hommes. Voilà pourquoi Letellier m'étonne : c'est la vigueur de Delphine qui le touche. Moi qui, chaque fois que j'endurais mon destin avec fermeté, regardais du coin de l'œil les amants potentiels s'écarter déçus, je suis toute surprise par un homme que la force d'âme séduit. Les bons auteurs m'ont donc trompée sur la vie mondaine, mais aussi sur le cœur des amants?

Je ne suis plus étonnée de voir que, la porte refermée sur Letellier, Delphine commença par ranger les verres et vider les cendriers. Après quoi, elle alla se démaquiller et prit une aspirine car elle craignait le mal de tête qui succède au gin. Elle s'examina longuement dans le miroir de la salle de bains et prononça à voix haute et claire :

— De six mois à un an.

Qui ne fit pas écho. Elle se coucha, dormit une heure à cause de l'alcool et s'éveilla en sursaut, mais ne pensa pas encore à soi. Elle revoyait Letellier et le long bavardage qui avait succédé aux excès de whisky :

— Toute l'affaire est que je n'aie pas la vue brouillée quand je serai au volant. Ma femme est partie parce que je n'étais jamais libre le soir. Pour se divertir, elle allait au cinéma ou au théâtre avec ce dentiste, rentrait avant moi et mettait un plat froid sur la table. Je mangeais quand j'arrivais et j'arrivais quand je pouvais. Un jour, dans des circonstances qu'elle me décrivit par le menu mais dont je vous épargnerai le récit, elle se trouva chez lui à six heures du soir. Il prévoyait qu'il sortirait de son cabinet à sept heures et quart. Elle explora la cuisine, y trouva de quoi préparer un repas et décida qu'elle cuisinerait plutôt que d'attendre sans rien faire. A sept heures et quart, exactement, il parut, s'attabla et pour la première fois depuis son mariage elle vit un homme manger un rôti qui n'était ni desséché, ni trop cuit, ni refroidi, ni réchauffé. Elle en eut des battements de cœur. A onze heures et demie, je sortis ma saucisse à la compote du four et je m'apprêtais à manger seul quand elle vint m'annoncer qu'elle me quittait. J'aurais bien promis de m'amender, elle n'y croyait pas plus que moi. Je pensais que j'aurais du chagrin. J'achetai un four à horloge et pris l'habitude d'y mettre mon dîner avant de partir faire mes visites du soir, je portai mon linge à la blanchisserie et demandai quelques heures de plus à la femme de ménage. Le jeudi, cette respectable travailleuse pose sur mon bureau un papier avec le compte des heures que je lui dois, le vendredi j'y mets l'argent. Je me dis que si un four à horloge, une blanchisserie et une femme de ménage remplacent une épouse, c'est que le mariage avait un défaut.

— Mais vous vous êtes libéré ce soir ?

— C'était un cas d'urgence. J'ai peut-être eu le tort de ne pas considérer la vie conjugale comme une situation d'urgence.

— Et pourquoi ne vous êtes-vous pas remarié ?

— Pour les mêmes raisons que vous.

— Mais je ne sais pas pourquoi !

— Justement, moi non plus. Tout au plus pourrais-je arguer que je n'ai pas donné de grandes preuves de talent : être quitté pour un rôti cuit à point, voilà qui ne flatte pas un homme.

— Et le dentiste ?

— Ce soir-là, elle m'a juré qu'ils n'avaient encore fait qu'aller au cinéma et dîner, à l'heure et au jour dits : seulement ce que l'on ne pouvait pas attendre de moi.

Delphine se remémorant riait doucement dans le noir. Voilà, pensa-t-elle, comment peut naître une amitié qui durera bien jusqu'à ma mort. Puis il lui apparut qu'il y avait des plaisanteries qu'elle pouvait peut-être faire pour elle-même, mais qu'il faudrait veiller à ne pas prononcer. Il lui sembla entendre dans son rire intérieur un léger grincement. Elle s'écouta : plus rien.

Il devait pourtant y avoir à penser sur ce qui lui arrivait ? Un effort de concentration la conduisit à se demander si les primes de son assurance sur la vie étaient payées, ce qui était tout à fait déplacé. Je ne me tiens pas bien, se dit-elle. Je fais comme à dix ans quand je pouffais de rire dès que les grandes personnes prenaient des mines de circonstance. Je n'étais pas dupe des douleurs feintes et je me souviens que j'en tirais de l'orgueil. Mais enfin, il me semble que je suis dans une situation à éprouver une douleur vraie ?

Elle prévoyait qu'elle ne se rendormirait pas de sitôt et jugea qu'il était sage de se lever. Que fait-on, à deux heures du matin, la nuit où l'on a appris que l'on n'a plus, devant soi, qu'un temps mesuré ? Elle s'occupa à passer un peignoir et des pantoufles, cela ne prend pas trente secondes, puis resta plantée au milieu de la chambre. De nouveau elle se regarda dans le miroir : Voilà la femme que je suis. Qu'apprend-on sur soi-même en se regardant ? Je me souciais de mes cheveux : ils n'auront pas le temps de grisonner. Il n'y aura pas de chimiothérapie et je ne les perdrai pas. Ah! ceci serait une préoccupation d'une excellente futilité si je pouvais la faire durer : en quoi mon apparence parlera-t-elle de ce qui m'arrive ? mais je sens bien qu'elle ne me fera pas cinq minutes. Cette étrangère que je regarde, emballée dans du tissu éponge blanc, avec son air perplexe, qui reste debout au milieu d'une pièce car elle ne sait où aller, cette inconnue dont rien ne marque encore qu'elle est désignée, cette autre : c'est moi. Une sourde agitation se répandait dans son esprit, à quoi elle aurait voulu donner un nom. Certes, il serait légitime que j'éprouve de l'effroi, et peut-être est-ce ainsi qu'il faut nommer ces vagues de nervosité, cette envie de bouger ? Que sais-je de la peur ? Je suis née dans une des rares régions tranquilles de cette Terre où partout on hurle de terreur. J'ai toujours vécu dans une sécurité parfaite. Pour ce que j'en sais, je suis peut-être en train d'avoir peur. Mais elle n'y croyait pas. Elle ne se sentait pas prise aux tripes, plutôt gelée, avec une envie de bouger et aucun geste à faire. Elle s'approcha de la fenêtre et ouvrit les rideaux de velours sombre, elle vit que la nuit était claire et brusquement l'émotion la submergea. Depuis quelques heures le vent s'était levé et de grands nuages sombres traversaient le ciel éclairé par la pleine lune. C'était une nuit de tempête : quatorze ans plus tôt, à l'autre bout du monde, un avion était tombé.

On a droit à une mort qui ait un sens, qui close, de façon cohérente, la vie que l'on s'était faite. Lucien de Rubempré, Lorenzaccio et même la Princesse de Clèves avaient déjà renoncé à leur âme au moment de leur mort. Mais quand un avion tombe? Combien de ceux qui meurent avaient achevé leur parcours? J'ai souvent poursuivi une rêverie où j'irais, enquêteuse en colère, sur les traces de chacun, reconstituant son histoire pour voir comment la mort y surgit et si elle en avait le droit. Et puis, je suis prise de vergogne, je me moque de moi, mais j'ai tort, comme ont tort les grandes personnes qui se moquent des enfants parce qu'ils ne se sont pas encore résignés à la sottise des choses. Je démontrerais, bien sûr! que le trépas n'avait rien à faire à cet instant-là, dans ces vies-là, et je mesurerais mon impuissance.

Delphine se souvint.

Henri allait traiter une affaire en Amérique du Sud. Elle ne l'avait pas accompagné à l'aéroport car de tels départs étaient fréquents. Il revenait après trois ou quatre jours n'ayant vu, sur l'autre face de la Terre, que des bureaux à air conditionné et des chambres d'hôtel étudiées pour ne pas dépayser le voyageur. Tokyo, Lima, Bangkok : des boulevards encombrés, l'inévitable whisky et des

complets-veston bleu marine : Je préférerais cultiver mon jardin, disait-il. Delphine usait de ces
absences pour se coucher tôt et dormir le plus possible, à quoi elle se préparait en ayant déjà sommeil
pendant le dîner. Aussi, ce soir-là, était-elle allée
s'allonger sur le canapé du salon pendant que les
enfants finissaient leur dessert sous l'œil attentif de
Madeleine. C'était l'heure des informations, elle
alluma la télé : une jeune femme à l'air grave
annonçait que l'avion de Rio de Janeiro s'était
abîmé, deux heures plus tôt, dans les eaux de
l'Atlantique.

— Il n'y a pas de survivants, entendit-elle.

Au premier moment le malheur a l'air d'un mensonge. On dit : ce n'est pas vrai. On se roidit. Les
mots n'ont pas de sens, et c'est le corps, souvent,
qui comprend le premier. Delphine sentit une fine
sueur lui perler aux tempes et aux paumes. Il y eut
ce temps d'arrêt très bref, la césure, on voit la couleur de toute une vie, un paysage immense se
déploie sous les yeux, le ciel est vaste, et puis la
frontière est passée, on est ailleurs, le souffle suspen-
du se relâche, Delphine immobile sur les coussins
fixe des yeux l'écran où la jeune femme achève sa
phrase, et le mot *survivant* résonne encore dans l'air.
A-t-elle bien dit qu'il n'y en avait pas ? Les enfants
rient fort, elle les regarde de loin : que fait-on
quand on est chez soi, que l'avion est tombé et que

les enfants partagent avec méticulosité les dernières cuillerées de crème au chocolat ? Il faut téléphoner à l'aéroport, se dit-elle.

Le coup de poignard est plus franc. On s'immobilise aussi sous le choc, mais on sait qu'on est touché et que le sang va jaillir. Les cris et les gestes n'ont déjà plus de sens, tout juste si la victime étonnée baisse le regard vers la blessure : c'est donc là que je vais avoir mal, se dit-elle. Tout est accompli. Plus tard, on se souviendra : le temps était calme, j'étais chez moi, dans cette vie qui devait durer toujours, dans ces projets familiers, avec cette odeur d'éternité qui donnait leur goût aux choses, j'étais inscrite dans un ordre qui semblait si naturel que rien ne le modifierait jamais, et puis tout a basculé, j'ai changé d'univers, je n'ai plus rien reconnu autour de moi, les mêmes gestes ont eu un autre sens, je suis devenue étrangère dans ma propre vie. On donnera une place à l'insensé, il aura une date, on poussera le soin jusqu'à lui accorder une forme compréhensible, *c'était un accident d'avion*, car nous ne savons que nous soumettre à la réalité, nous disons : Il en a été ainsi, en croyant que nous sommes raisonnables quand nous ne sommes qu'impuissants, jetés de seconde en seconde à travers nos vies, incapables de ne pas nous battre contre ce que, plus tard, nous nommerons naïvement le destin, il nous entraîne comme les noyés dans un raz de marée vers cet autre instant où sous notre dernier pas s'ouvriront les ténèbres.

Plus tard, quand tout fut silencieux, quand le sommeil eut triomphé des larmes et que les enfants dormirent, elle se retrouva seule dans sa chambre. Elle avait froid, mais savait qu'il était inutile de se couvrir davantage. J'ai l'âme glacée, pensait-elle. Quelque part un corps glissait lentement, vont-ils jusqu'au fond de la mer ou séjournent-ils pour l'éternité entre deux eaux, oscillant faiblement dans les courants, peu à peu dissous ? Parmi quels marins perdus depuis des siècles, quels amants jamais revenus Henri rôderait-il ? Croiserait-il les commandants restés derniers à bord, le voyageur confiant que les alizés devaient porter, les pirates ricanants et de tristes jeunes filles éternellement vierges ? Des algues s'enrouleraient autour de lui, des coraux pousseraient sur ses os et, peu à peu réduit au squelette, il deviendrait, adorné de fleurs marines, son propre monument. Il avait été assis au cœur de la tranquillité, dans la cabine chaude, parmi le ronronnement des moteurs, quand avait surgi la discordance brutale, l'instant d'incompréhension. Sait-on tout de suite que c'est la mort ? Mais veut-on le savoir ? Les poissons nageaient autour du corps balancé par l'eau, Neptune règne sur le royaume des noyés qui dansent à sa gloire dans une lumière verte. Delphine regardait les cimes des grands arbres, agitées par le vent, ployantes, derrière les nuages la lune courait vers l'autre côté de la terre. Dans quelques heures sa lumière iriserait les eaux sombres de l'océan, glissant silencieusement vers les profondeurs où les cadavres descendent rêveurs. Mais je ne veux pas, pensa Delphine, je ne veux pas. Elle serra les mâchoires, exigea de l'air qu'il prît la forme d'Henri, qu'il portât sa voix et devînt la chaleur des mains sur ses épaules. Un instant les lois faiblirent, la matière fut sur le point d'obéir à la pensée tant elle était puissante, l'univers vacilla, puis retomba dans l'ornière et redevint le lieu où n'existerait plus, de ce que l'on avait nommé Henri, que des traces dans les mémoires.

Delphine regarda l'heure : le ciel blanchirait bientôt. Elle pensa qu'à leur réveil les enfants verraient son visage : les yeux rougis, la pâleur et les larmes les inquiéteraient. Elle décida qu'elle devait dormir et sa résolution était si forte que le sommeil la prit aussitôt étendue, montrant que si la réalité lui résistait, elle pouvait régner sur soi-même.

Mais cette nuit-ci, devant la même fenêtre et une autre tempête, elle voit qu'elle a perdu son dernier royaume : jadis elle n'avait pas pu rendre la vie à Henri et désormais quelque chose a pris possession d'elle, elle est toujours sans pouvoir. J'ai la pensée

67

gelée, se dit-elle. Il y a quelque chose que je ne veux pas penser, et j'y suis fixée comme un papillon à sa boîte, une chèvre à son piquet. Elle comprit qu'elle était figée d'horreur. Une chose ïnsensée avait été jetée dans son esprit, dont elle ne pouvait se défaire, et qui restait là, stérile. Je me souviens mal de la chimie, songea-t-elle, mais il y avait des gaz qui ne se combinent avec rien, on les nomme inertes, et aussi la réaction à un corps étranger entré indûment dans l'organisme, qui l'entoure de je ne sais plus quoi, l'enkyste et se protège. Il me faudrait penser à ma mort, que je ne peux pas concevoir. Je devrais penser sur rien, et que se dit-on sur rien ? Rien.

Elle venait de retrouver, créée quatorze ans plus tôt et puis enfouie dans les replis de la mémoire, l'image d'Henri s'enfonçant éternellement dans les grands fonds, mais ce n'était pas *sa* mort. Je comprends son impuissance. On peut chercher à s'imaginer cadavre : c'est avec les yeux des autres, et quand parfois je m'y pousse, il vient toujours un moment où je me demande si on aura bien veillé à l'arrangement de mes cheveux, telle façon de me coiffer ne me va pas du tout, ce n'est pas mon regard qui regarde. On ne peut pas plus penser à soi au-delà de soi qu'on n'y pourrait penser en deçà : quand je n'étais pas née, ni même conçue, comment penser à moi puisque je n'y suis pas? Delphine se sent en défaut. Elle est sûre d'être au moment le plus tragique de sa vie, c'est la première aube de la mort, elle devrait éprouver des sentiments qui font qu'on se tord les bras, on gémit, il y a des mimiques d'affolement, on court et on trébuche, mais non, elle est debout devant sa fenêtre, l'orage est au-dehors. Je voudrais la rassurer, lui dire que ce vide en elle, ce silence, sont inévitables, il y a une barrière invisible entre nous, elle ne peut pas m'entendre. Elle se dit qu'il doit être très tard, qu'elle a un peu froid et qu'elle est fatiguée. La voilà qui se détourne du ciel agité, qui ôte son peignoir et se recouche. Elle s'endort.

Elle s'endort?

Alors quoi : on dort encore? Le temps est mesuré, la limite est fixée, et on dort? J'aurais cru que la terreur tient éveillé jusqu'au dernier instant, ou que l'avidité de soi empêche qu'on laisse se perdre une seule minute. Elle dort : le sommeil l'a prise aussitôt étendue, elle est sur le dos, la tête un peu tournée, elle respire presque imperceptiblement. Dans la pénombre, je distingue bien ses traits : le cerne léger sous les yeux, le nez fin, un peu long et dont on peut deviner comme il sera aiguisé, aminci par la mort. Elle n'a pas encore maigri, la joue n'est pas creusée. Sa bouche est grande et pâle, bien close. Elle ne bouge pas. Dans un moment, quand elle rêvera, on pourra deviner, sous les paupières, les petits mouvements rapides des yeux. Que verra-t-elle? La plage de Sardaigne et les derniers garçons? Un moment de son enfance où elle rit aux éclats, tenue à bout de bras par son père? Le cours qu'elle devait préparer pour le lendemain et que la visite de Letellier lui a fait oublier? Pas sa mort, non, on ne rêve pas de sa mort. Son sommeil est tranquille, je le vois bien : voilà qu'elle change de position sans s'éveiller, elle se met sur le côté droit, une mèche de cheveux couvre à moitié son front, elle soupire et repart, plus profond, dans les eaux sombres de la nuit. Les heures passent, la lumière change et comme Delphine a oublié de refermer les rideaux, le jour la gêne, elle se tourne de nouveau, pose un bras sur ses yeux, mais le réveil va bientôt sonner, l'arrachant à l'armistice instable où elle s'était réfugiée.

Madeleine la trouva déjeunant dans la cuisine, comme tous les jours.

— Il y avait de belles truites au marché, je vous en ai pris une. Est-ce que je vous la fais en gelée pour ce soir ou au bleu pour ce midi?

— Pour ce soir. Je me suis mise en retard, je ne rentrerai pas, je n'ai pas préparé mon cours. Mais vous savez bien que ce n'est pas au bleu, seulement au vinaigre : on ne dit au bleu que si la truite est jetée vivante dans le court-bouillon.

— C'est une honte. Ce sont des manières de barbares. On peut quand même se donner la peine de tuer les bêtes avant de les manger !

Delphine quitta la cuisine en riant, c'était un dialogue qu'elles avaient eu vingt fois et qui leur donnait toujours le même plaisir. Elle fit couler son bain et pensa que ce n'est pas ainsi qu'on se prépare à mourir.

— Oui, mais comment fait-on ?

Et décida qu'elle verrait bien. Letellier lui téléphona, Madeleine lui avait donné le numéro du bureau. Il avait arrangé des rendez-vous pour la radiothérapie.

— Mais qu'avez-vous dit à Madeleine ? Ne lui avez-vous pas fait peur ?

— Vous êtes incorrigible : hier soir vous vous souciiez de moi, ce matin de Madeleine. Non, je ne lui ai pas fait peur, je lui ai dit que j'avais besoin d'un renseignement à propos d'un ordinateur.

— Seigneur ! et elle vous a cru ?

— Ma chère enfant, elle en sait autant sur les ordinateurs que vous sur la médecine, pourquoi ne m'aurait-elle pas cru ?

— Traitez-moi d'ignorante !

— Volontiers. Voulez-vous me dire la différence entre un leucocyte et un emphysème ?

— Très bien, je renonce. Mais il faut que je vérifie si je suis libre aux heures que vous dites. J'ai, en plus de ce que nous savons, une vie professionnelle.

Puis elle s'arrêta net, à cause de la pensée qui la traversait : Pour combien de temps ? et Letellier, qui semble avoir de l'oreille, entendit son silence. Il ne dit rien, et, après les politesses d'usage, raccrocha doucement, perplexe. Ce n'était pas la première fois qu'il annonçait la mort, il n'avait pas l'habitude de plaisanteries dès le lendemain. Il pensa aux gens qui protestent, s'agitent, se démènent, font-ils du bruit pour s'assourdir ? Il se demanda qui était cette femme, s'étonna et s'inquiéta de son calme, eut envie de la connaître, haussa les épaules, décida d'aller lui rendre visite le soir, jugea qu'il était ridicule et qu'il se coucherait tôt. C'est ainsi qu'il sonna chez elle à dix heures et Delphine ne fut pas étonnée de le voir.

— Avez-vous encore du whisky ?

— Non, vous avez tout bu, mais j'ai des citrons qu'on peut presser et du bicarbonate de soude qui sera meilleur pour votre estomac.

Il la suivit dans le salon, s'assit pendant qu'elle rangeait quelques papiers.

— Vous arrivez à ravir, j'ai enfin fini de préparer cette série de cours. Les grands événements de la vie surgissent sans se soucier des détails et bousculent la routine.

La phrase finie, Delphine sentit qu'elle n'en avait pas d'autre qui fût prête et que la situation exigeait du bavardage. Letellier était arrivé comme un familier qui peut venir sans prétexte, il passait, il a eu envie de faire le détour, et on l'accueille naturellement parmi les gestes de la vie quotidienne, il y a sa place. Delphine eût éprouvé comme une impolitesse de marquer que sa position dans cette maison n'était pas celle-là. Elle acheva ses arrangements comme s'il eût été tout à fait habituel qu'elle préparât ses affaires du lendemain en sa compagnie et continua de parler sans trop écouter ce qu'elle disait, car elle appartenait toute à la nécessité d'éviter le silence : où elle se trouva dire des choses qu'elle ne croyait pas avoir déjà pensées, elle apprit en même temps que lui qu'elle avait décidé d'attendre pour avertir sa mère et ses enfants.

— Il faut au moins que moi-même j'y croie, et pas que ce soit comme une idée étrangère qui vient de temps en temps rôder dans mon esprit. J'aurais l'air de faire une mauvaise plaisanterie. Dans l'humeur où je suis, je me vois jetant la nouvelle comme par hasard, entre la poire et le fromage : A propos de cancer, tu sais, j'en ai un! Il me vient, quand j'agite ce genre d'idées des choses d'un goût exquis comme : Il y avait des soldes au Bon Marché, ou : Il faut bien faire comme tout le monde. Je vois que je n'y crois pas. Je fais, très normalement, des projets d'avenir, appeler le jardinier pour qu'il enlève le pommier mort du jardin et plante le magnolia dont j'ai toujours eu envie, mais il n'y a pas assez de place, ou bien je rêve à cet agrandissement de la cuisine vers l'est dont je discute depuis vingt ans. Passe encore de bâtir, mais planter ! Vous qui avez l'habitude, combien de temps vais-je mettre à me convaincre ?

— L'habitude...

Elle allait et venait, vive, rapide. Il la suivit à la cuisine où elle pressa les citrons.

— Mais j'y pense ! à l'heure qu'il est, sans doute n'avez-vous pas dîné, et votre compote se réchauffe dans le four à horloge ?

Elle sortit la truite en gelée.

— Je n'avais pas faim, et si la truite n'est pas mangée, je devrai mentir à Madeleine et dire que j'ai dîné dehors. Vous allez m'éviter un péché.

— Partageons, dit-il.

En refusant, elle l'aurait mis mal à l'aise, elle se souvint qu'on peut fort bien manger sans appétit.

— C'est une chose qu'on a toujours apprise durant l'enfance, à cause de l'inquiétude des mères. A treize ans, la mienne frôla l'obésité par égard pour ma grand-mère, ce qui l'a rendue assez modérée avec moi, mais même une mère modérée compte les cuillers de purée.

74

— Et les tranches de rôti ! La mienne était persuadée qu'à moins de deux tranches on devient
tuberculeux. J'étais médecin qu'elle regardait
encore ce que je mettais dans mon assiette.

— Décidément, les femmes de votre vie sont
préoccupées par le rôti !

Ils bavardent, ils rient, captés par le mouvement
qui se déploie entre eux. Il s'était laissé pousser par
l'inquiétude qui le portait vers cette femme
condamnée : elle sort de l'armoire un morceau de
fromage, lui donne une bouteille de vin rouge à
déboucher. Je n'y comprends rien : la nuit dernière
elle dormait, et la voilà qui n'avait pas faim et qui
mange avec entrain. Je croyais, moi, qu'une fois la
tragédie déclarée, on vit tendu, les poings serrés,
l'âme à l'affût ? Est-ce que Bérénice s'amuse, est-ce
que Phèdre rit et Athalie a-t-elle un seul instant de
relâchement ? Quitte-t-on une seconde son drame
des yeux ? Voilà qu'ils se racontent ces petites histoires qu'on aime redire quand on a un nouvel
auditeur :

— Ma mère croyait en ma connaissance de la
médecine, mais n'a jamais pu cesser de considérer
son fils comme un gamin. J'exerçais depuis dix ans,
elle me disait encore qu'il ne faut pas boire en mangeant, à cause de l'aérophagie, ni avant de manger,
car cela coupe l'appétit, ni après, pour ne pas diluer
les sucs de la digestion. Alors quand peut-on boire ?

demandais-je, énervé. Elle s'agitait, marmonnant qu'elle savait ce qu'elle disait et me menaçait de brouille. Je cédais toujours, je savais bien qu'elle n'aurait pas supporté de se brouiller : elle aurait fait une maladie et appelé le vieux médecin de famille que je craignais comme la peste parce qu'il n'avait plus ouvert une revue médicale depuis trente ans.

— Et on ne boit pas le soir, car si on a le sommeil lourd, on dort avec la vessie distendue, ce qui est mauvais pour les reins.

Il poussa un long sifflement d'admiration.

— Je ne connaissais pas. Très beau.

— C'est de ma grand-mère, dit modestement Mme Maubert.

— Ah! Il y avait des familles, dans ce temps-là!

Il partit à minuit.


Le troisième jour, Pauline téléphona :

— Ta toux se calme-t-elle ?

— Moyennement. Je bois des sirops au goût horrible qui l'apaisent, mais comme ils me font dormir je ne peux les prendre que le soir.

— Tu devrais te donner quelques jours de repos.

— Plus tard.


A Letellier :

— Vous imaginez comme je suis à l'aise pour lui parler ! Et que faire ? Je ne suis pas encore capable d'avouer. Partout je me sens comme un mensonge ambulant : au cours, au labo, chez moi quand Madeleine y est, j'ai peur du téléphone et des amis qui disent : Comment vas-tu ? Je ne suis à l'aise qu'avec vous.

— C'est parce que nous nous saoulons, dit-il en remplissant son verre de gin et de citron.

— Et si je ne suis pas un mensonge, je suis une bombe, je porte la destruction : ma mère a soixante-dix-sept ans.

— Voulez-vous que je lui parle ?

— Vous n'y pensez pas ! Je ne me le pardonnerais jamais. Avez-vous chargé un autre de me le dire ?

Il baissa la tête.

Elle avait le sentiment de marcher dans le chaos. *J'ai cinquante ans* et *Je vais mourir* : ces mots-là désignaient deux états d'esprit qui lui semblaient incompatibles, car le premier implique d'inventer une nouvelle façon de concevoir son avenir et le second dit qu'il n'y a pas d'avenir. Elle aurait voulu en jeter un hors de soi, comment fait-on cela ? Elle se sentait double : une qui allait et venait, travaillait, mangeait et respirait – respirait ? – comme d'habitude, une femme qui vivait avec aisance, rieuse, compétente, en qui elle se reconnaissait, et l'autre, immobile, tapie dans l'ombre et qui grandissait lentement, s'enflant de soi-même, nourrie par chaque minute qui passait, aspirant peu à peu sa substance, monstre silencieux qui la dévorait, trou noir, une demi-morte aux yeux brûlés dont les chairs se détachent déjà, avide d'une vivante qu'elle dévore, insatiable, vampire, cancer. Souvent elle eut le sentiment qu'elle riait trop haut, marchait trop vite, comme pour s'assourdir ou fuir un poursuivant. Sa gaieté l'effraya. Un demi-verre de vin la saoulait et il lui semblait qu'elle parlait sans cesse. Elle se réveillait en sursaut au milieu de la nuit, couverte de sueur, glacée, pour se rendormir aussitôt. Je suis malade, se dit-elle, et il n'était pas question du poumon. Elle refit des rêves qu'elle n'avait plus eus depuis l'adolescence : elle courait pour échapper à un danger, mais n'avançait pas et peu à peu se rendit compte qu'elle ne pouvait pas réfléchir à ce qui lui arrivait. Chaque fois qu'elle essayait, sa pensée fuyait, un animal effrayé courait se cacher n'importe où, laissant derrière soi un sillage d'herbe écrasée, des branches brisées et l'odeur de la peur. Mais je ne sens pas de peur, se disait-elle. Je ne sens rien. Je n'ai déjà plus d'âme.

— Que se passe-t-il dans mon corps ? demanda-t-elle à Letellier.

Il l'emmena à son cabinet, lui montra les clichés, les expliqua, ouvrit ses livres, fit des dessins. Delphine s'appliquait à comprendre, le faisait répéter, élève docile qui a trop à apprendre d'un coup pour ne pas se perdre dans son propre effort. Ils furent interrompus par le téléphone : elle le regarda écouter patiemment, conseiller, rassurer. Un médecin, mais la guérison n'était pas pour elle. Il ne l'aiderait qu'à mourir calmement, si elle pouvait s'apaiser.

En répondant, il ne la quittait pas des yeux. Delphine l'écoutait attentivement : pour la première fois, une émotion montait en elle, elle sentit poindre des larmes.

— Ce n'est pas grave ? demanda-t-elle d'une voix blanche quand il raccrocha.

— Non. Une crise d'arthrose cervicale. Un mal de cou. Quatre aspirines et des massages, mais c'est une femme scrupuleuse qui ne double jamais la dose sans me demander mon accord.

— Et l'autre ?

— Une grippe. Quatre aspirines et un grog. J'irai le voir demain matin, si la fièvre n'est pas tombée. Il n'y a ni maux de gorge, ni toux, rien ne presse.

— Vous ne prescrivez donc que des aspirines ?

Elle avait les yeux dilatés, le souffle court. Il sentit à quel point elle se contenait et brusquement fut emporté par un grand mouvement de tendresse : il eut envie de la prendre dans ses bras comme on le ferait avec un tout petit enfant qu'on peut tenir tout entier blotti contre soi, pour le consoler, l'apaiser, l'endormir. Elle restait figée, les yeux rivés à lui, agrippée à ce regard, accrochée, suspendue, hors ce dernier filin rien ne la retenait, le vide la guettait, il n'y avait que vertige, égarement, chute interminable. Il se pencha, lui tendit la main.

— Venez, dit-il, ne restons pas ici. Allons manger et boire.

Il l'emmena au Bois, dans un endroit tranquille avec un gros poêle à charbon bien rougeoyant, des nappes de damas broché et, en sourdine, un divertimento de Mozart. Il commanda des cocktails, un fort vin rouge et des viandes grillées. Puis il prit les mains de Delphine et les serra doucement :

— C'est peut-être le moment de pleurer ? Ici, vous le pouvez, c'est le service le plus stylé du monde, personne ne se permettrait de voir vos larmes.

Elle regarda autour d'elle comme émergeant du somnambulisme et sourit enfin :

— Je ne peux pas. Pas encore. Je n'ai jamais su pleurer. Cela inquiétait ma mère, quand j'étais enfant. J'avais remarqué qu'on dit aux garçons qu'ils ne doivent pas pleurer, les larmes sont pour les filles. De toute évidence, il s'agissait d'une conduite moins digne et moins noble. Cela me vexait horriblement. Allait-on prétendre que j'avais l'âme moins élevée parce que j'avais autre chose dans la culotte ? Je ne consentais pas à l'idée que mon anatomie définît la

80

qualité de mes sentiments. Plus tard, j'ai cherché à préserver Paul des yeux secs, mais je n'y suis pas arrivée : l'école, les copains, la société tout entière furent plus forts que moi et Mathilde elle-même ne pleure pas plus qu'un garçon.

Il vit Delphine se ranimer à mesure qu'elle racontait : son regard reprenait de la mobilité, sa voix du timbre.

— Vous n'étiez pas une enfant très docile ?

— Mais si ! J'étais encouragée par mon père à cultiver des opinions personnelles. Je pouvais penser ce que je voulais, à condition d'argumenter valablement. Un jour, je devais avoir douze ans, je revins de l'école ayant découvert le racisme et je tins des discours enflammés. Qu'as-tu contre le racisme ? dit mon père qui était petit-fils de dreyfusard et qui avait fait de la Résistance pendant la guerre. Sur le moment je ne pus répondre qu'avec des protestations passionnées. Tu ne convaincs pas, dit-il. Il me donna des livres : Lis d'abord, informe-toi, et tâche de me préparer une démonstration à quoi un homme à l'esprit rationnel puisse se rendre. A quinze ans, je voulus défendre l'union libre, avant de lui en parler j'étudiai attentivement les statistiques des divorces. Il m'apprit à faire la différence entre les mouvements du cœur qui sont affaire personnelle et les pensées préfabriquées que le monde où nous vivons nous propose. Je devins capable de me soumettre aux idées reçues là où mon intérêt intime le commandait et de ne penser qu'à mon gré ailleurs.

Les cocktails arrivaient.

— Votre père était donc un homme intelligent.

— Oui, et c'est bien encombrant pour une fille. Si vous saviez le nombre de beaux jeunes gens qui m'ont fait bâiller ! J'enviais celles qui n'étaient pas gênées par la sottise. Au moins, elles dansaient avec plaisir. Moi, entre : Vous venez souvent ici ? et : Avez-vous vu la dernière Alfa Romeo ? j'attendais la fin du disque.

— Admirables jeunes gens ! Je ne parvenais pas à dire tant de choses ! Vous avez tout de même trouvé à vous marier.

— De justesse. J'ai connu Henri à vingt-deux ans, je frôlais le désespoir. J'avais parfois pris un amant, car la virginité se démodait déjà et je n'avais pas encore l'audace de ne pas suivre, mais je m'ennuyais autant au lit qu'en dansant. Je ne sais pas comment je fis pour ne pas douter de moi, il semble qu'on parlait moins qu'aujourd'hui de la sexualité des dames dans les journaux féminins. Il est certain qu'Henri me plut en étant aussi intelligent que mon père, d'après ce que j'entends dire, cela est d'une fille normale.

Ils continuèrent à bavarder, entrecroisant gracieusement les souvenirs et les confidences discrètes. Delphine s'étonna que, hors le travail, il fût toujours libre :

— Il n'y a donc aucune femme dans votre vie ?

— Oui et non. J'ai l'une ou l'autre amie aussi occupée et mangée par le métier que moi et qui, comme moi, ne demandent qu'une sortie ou une nuit par-ci par-là. Je crois que je ne suis pas un homme de passion et qu'en vérité j'ai dû être le mari le plus rasant du monde. Je ne sais parler que de médecine, quand je vais voir un film mon commentaire le plus poussé est un grognement, mais s'il y a une erreur médicale, je m'indigne pendant trois heures. Je ne suis pas fréquentable.

— Alors, d'où vient que je ne m'ennuie pas avec vous ?

— Je ne sais pas. Et je vais vous dire le pire : je ne m'ennuie pas avec vous. C'est peut-être que vous ne me parlez jamais de l'aspirateur, qui est tombé en panne, ou de la cousine Henriette, qui a tant de problèmes avec son fils aîné. Je ne me crois pas responsable de votre absence d'ennui : vous devez avoir la vertu d'endurance.

Elle éclata de rire :

— Ah ! Voilà une chose dont je n'avais plus entendu parler depuis l'école. Et justement, on m'y reprochait ses défaillances, car je n'apprenais jamais mes chapitres d'Histoire jusqu'au bout.

Sous la conversation légère, Delphine sentait quelque chose changer. Elle était traversée par les schémas qu'il avait montrés, les termes précis qu'il avait utilisés résonnaient dans son esprit : C'est donc cela qui se passe ? Elle se rendit compte qu'elle avait senti son mal comme une boule d'horreur putride et gluante logée en elle : il y avait des dénominations précises, les cellules avaient des formes anormales, mais définies, classées. La chose se propageait d'une façon mortelle : compréhensible. Il ne s'agissait pas d'une marée visqueuse, elle n'était pas habitée par une malédiction ni par des puissances destructrices, elle n'était pas la marmite effroyable où bouillonne l'abomination et des vapeurs maléfiques ne se dégageaient pas d'elle. Il n'y avait pas de mystère terrifiant, mais une réalité familière à Letellier. Elle s'était fuie avec épouvante : il dînait avec elle et lui racontait des anecdotes professionnelles bourrées de détails techniques auxquels elle n'entendait rien et comme elle avait trop de viande il prit très joyeusement le morceau qu'elle avait écarté.

— Il est vrai qu'il y en avait beaucoup, sinon j'insisterais pour que vous mangiez tout. Il faudra vous nourrir avec soin et ne pas céder à la perte d'appétit quand elle viendra : vous aurez assez à faire sans vous mettre en état de carence alimentaire.

Il s'arrêta net, entendant ce qu'il venait de dire : quand la perte d'appétit viendra. Suis-je fou ? Parle-t-on ainsi ? Mais elle était intéressée et lui demanda pourquoi il y aurait une perte d'appétit. Elle écouta très attentivement les explications.

— Cela ne vous fait pas peur ?

— Cela me rassure. Je n'ai pas peur de ce que je comprends. Je suis le lieu de phénomènes irréversibles mais connus. J'aurais peur de la sorcellerie. Il est certain que je vais mourir bien plus tôt que je n'aurais choisi : mais, honnêtement, n'en est-il pas toujours ainsi ?

Il ne répondit pas. Il la regardait et il pensa qu'elle était très belle.

Plus tard, dans la voiture :

— C'est étrange, dit-il, il me semble qu'avec vous j'aurais pu me remarier.

— Oui, mais c'est une illusion. C'est la mort qui me pare.

Elle rêva :

— Elle porte de lourds voiles de crêpe, les plus sombres qui se puissent imaginer. Aucune brise ne les anime, ni le vent le plus terrible. On ne voit pas son visage, mais on devine une parfaite beauté puisque jamais nul mortel ne lui a résisté. Elle m'a prise par la main et je marche à ses côtés. Parmi la foule qu'elle entraîne, elle ne voit personne et chacun ne voit qu'elle. Il faut détourner les yeux de moi, car je suis si proche d'elle qu'on risquerait de la voir et c'est lui appartenir.

— Taisez-vous, dit-il.

85

Ils rentrèrent en silence. Quand il se tourna vers elle pour lui dire au revoir, Delphine vit des larmes sur ses joues.

Le lendemain, elle alla voir Pauline.

# 3

## *Quid sum miser*

Delphine ne s'annonça pas. Elle arriva à midi : Pauline était au jardin, qu'elle achevait de préparer pour l'hiver.

— Ah! Comme j'aime les surprises! Les enfants et toi me traitez toujours comme si j'avais un emploi du temps d'homme d'Etat. Et tu tombes à ravir : je viens de planter mes derniers oignons, aide-moi à rentrer les outils. Les buglosses ont raté, j'y renonce, j'ai mis de petites tulipes blanches pour le printemps.

Dans la serre, Pauline désigna à sa fille ce qu'il convenait d'admirer, et Delphine fit les commentaires attendus.

— Rentrons, nous allons choisir notre déjeuner dans le congélateur.

— Dans le congélateur? A quelle heure comptes-tu déjeuner?

— Vers une heure. Oh! Tu as raison, il est trop tôt.

Delphine rit :

— Toi, tu as acheté un nouveau jouet!

— Un four à micro-ondes. Je pourrais te donner cinquante bonnes raisons, la seule qui soit honnête est que je n'ai plus pu y tenir. Je ne résiste pas aux électroménagers. Chaque fois que je mouds mon café en trente secondes, que les œufs à la neige montent tout seuls, ou que les carottes entrent entières dans la machine et en sortent râpées, je pense à ces générations de femmes qui tournaient, battaient, hachaient, moulaient, pilaient et je me réconcilie avec les temps modernes. Si la centrale atomique de Tihange saute, je mourrai sans doute irradiée, mais il y a un millénaire c'eût été la peste et après avoir frotté, rincé, tordu dans les rivières, les mains gercées, maintenant c'est la lessiveuse qui rouille, après m'être agenouillée pour cirer les planchers à la main ou, pendant des heures entières de ma vie, porté les tapis au jardin pour les battre.

— Ne crains-tu pas que ces femmes soient envieuses et viennent, la nuit, te donner des cauchemars?

— Non, car je dis que je les venge. Elles sont autour de moi, elles m'applaudissent et me chuchotent des tentations. Je suis l'instrument de leur plaisir.

— Seigneur! Tu as une machine à faire les sauces, une qui grille, une pour presser, moudre...

— Je les ai presque toutes, dit joyeusement Pauline, mais on en invente tous les jours. Je guette les nouveautés.

Elles rirent, déjeunèrent, firent la sieste et Delphine s'accusait de lâcheté. Mme Ferrand proposa une promenade. Elles mirent des bottes et partirent à travers les labours. Il ne faisait pas encore froid, mais la campagne entrait déjà dans le silence de l'hiver. Les oiseaux migrateurs étaient partis, le soleil ne montait plus très haut. Quelques corneilles criaient.

La marche les échauffa, elles dénouèrent les écharpes et ralentirent le pas.

— J'aime bien cette arrivée de l'hiver. As-tu aussi l'impression que l'automne va moins vite que le printemps? On sent le poids du temps et qu'on en fait partie. Je joue avec mes machines, je sais bien que je triche et qu'en vérité une carotte qui a mis six mois à pousser a le droit qu'on lui donne du temps pour cuire. Notre cycle est plus long que celui des feuilles, mais il se déroule et court à son terme.

Il faut que je parle, pensait Delphine. Elle se voyait comme un assassin qui tient le poignard levé derrière sa victime confiante. C'est moi qui meurs, et je me sens criminelle. Elle décida de se donner un délai ferme : elle parlerait ce soir, après le dîner, quand elles seraient assises dans les grands fauteuils de cuir usé, buvant leur infusion de verveine en écoutant une de ces musiques de chambre qu'elles aimaient. Cela doit se dire en trois phrases nettes, bien aiguisées, sans équivoque. Pas de faux espoirs qu'il faut ensuite décevoir, pas d'obscurité ni de sous-entendus. Et d'ici là, je veux jouir de la promenade et des derniers moments où ma mère est heureuse avec moi.

Elle se sentit plus libre.

Ah! comme je déteste ce verdict qui va être asséné! Je regarde Pauline qui marche joyeusement. Ou bien? oui, je sens une réserve en elle. Elle n'a pas oublié les brusques pleurs de Delphine avant la Sardaigne, ni Mathilde s'inquiétant de sa mère. Devant l'arrivée inattendue de sa fille, elle a hâtivement opté pour le contentement, mais elle garde une perplexité qui l'a empêchée de commenter que Delphine ait quitté le bureau en pleine semaine. Elle s'est tue, par discrétion. Tout au plus si elle suppose que Delphine continue, il lui semble que c'est prématuré – et à mon âge, critique-t-elle, que sais-je encore de ces choses? – à regarder venir les rides. Elle n'a pas peur. Je n'aime pas cette promenade. Le ciel est calme, d'un bleu profond. Au bout du champ, le petit bois est encore roux,

mais on sent que le premier grand vent le dépouil-
lera et qu'on verra apparaître les fines ramures
noires de l'hiver. Les mottes de terre s'écrasent
mollement sous le pied, des restes de chaume
s'effritent. Il y a eu du brouillard cette nuit, il traîne
une brume légère qui atténue les contours, bientôt
les gelées blanches du matin tiendront jusqu'au soir.
Les deux femmes marchent calmement : l'une est
frappée, l'autre va l'être. Il y a trop de tristesse dans
cette proximité de l'hiver, les limites sont trop
proches, tout est trop fragile et nous avançons
aveugles. Elles vont rentrer, ôter les bottes lourdes
de terre et les mettre à sécher dans la serre. Puis
Delphine ira se changer, elle laisse toujours
quelques vêtements dans la grande armoire de sa
chambre. Elle choisit avec soin un beau chandail et
la longue jupe chaude qui l'accompagne. Elle se
coiffe et se maquille plus attentivement qu'elle n'a
fait depuis plusieurs jours. Elle se dit qu'il ne faut
pas donner à voir une âme à l'abandon, terrifiée et
défaite, mais elle se pare pour une sombre cérémonie.

En bas, Pauline fait rissoler des lardons. La
bonne odeur forte et salée monte dans la maison.
Pauline est restée fidèle à la cuisine de sa lignée
maternelle : Ainsi, dit-elle, les siècles défilent, tout
change, on pense et on vit autrement, au moins
manger nous relie au passé. Delphine se reproche

d'oublier toujours ces plats dont, enfant, elle raffolait. Il faudra que Mathilde les apprenne et qu'un jour, grand-mère à Modave, elle les prépare pour ses petits-enfants.

Trois petites phrases nettes après un bref préambule, puis le silence fut occupé par le *Trio en mi bémol* de Schubert.

Pauline resta un moment sans rien dire, le regard fixé sur Delphine. Je crois qu'elle attendait un démenti. Les minutes s'accumulèrent, creusant lourdement leur sillage dans le temps, traçant devant elle le chemin détestable qu'elle ne pourrait pas éviter. Elle se leva, alla vers la fenêtre dont, tout à l'heure, elle n'avait pas fermé les rideaux pour profiter d'un coucher de soleil pâle aux lueurs argentées. La nuit était tombée, il n'y aurait pas de clair de lune, on voyait peu d'étoiles. Pauline pensa que l'ordre des choses n'allait pas être respecté, où la mère meurt avant la fille. D'année en année les feuilles poussent et tombent, tous les jours la nuit revient régner sur la terre, marquant le déroulement fiable du temps, mais Delphine ne verrait pas l'automne suivant. Moi qui prenais plaisir à vivre longtemps, pensa Mme Ferrand, comme on est berné ! Voilà que cela me fera vivre au-delà de ma fille. Elle sentit poindre la douleur, comme on

devine une tornade qui dévastera tout. Ah! si mon
cœur pouvait s'arrêter là, d'un instant à l'autre, par
pure bonté, pour m'épargner de passer par les jours
à venir. Pourquoi ne suffirait-il pas qu'on le veuille
et l'absurdité de vivre cesserait? Mais peut-être que
je ne le veux pas assez fort? Peut-être n'a-t-on pas
les moyens de vouloir ces choses? Ce corps qui
nous échappe, on croit qu'on le gouverne parce
qu'on lui dit: Va à droite, Va à gauche, Assieds-toi,
Lève-toi, et ce n'est qu'un mensonge, il déroule
insidieusement son propre projet et me voilà prise
au dépourvu, vivant au-delà de ce que je voudrais.
Qu'ai-je à faire de respirer encore? J'ai mis ma fille
au monde: ce n'était pas ma tâche de l'accompagner dans la mort. J'ai entendu son premier cri, je
pensais que son dernier souffle ne me regardait pas.
Il n'est pas naturel que la mère assiste son enfant
jusque-là et rien en moi ne peut concevoir une telle
perspective. C'était à elle de me fermer les yeux.
J'aurais été étendue sur un lit bien ordonné, ma fille
à ma droite, mes petits-enfants debout à gauche, je
leur aurais souri et j'aurais dit: Maintenant je suis
fatiguée, je vais dormir un moment, et j'aurais
fermé les yeux en sachant, sans en rien dire, qu'ils
ne se rouvriraient plus. Mais non, c'est Delphine
qui sera couchée et moi assise à sa droite. Dans les
profondeurs de son corps une décision a été prise, il
y a déjà longtemps, et pendant qu'elle vivait, se

réjouissant ou pleurant, elle avait commencé à mourir. J'aurais dû aller en Italie avec elle, au lieu de regarder échouer mes buglosses, mais tout n'est que tricherie, on n'est prévenu de rien et la mort étend sourdement son empire dans la chair naïve des vivants. Cellule après cellule, c'est une progression sournoise dont je croyais, ignorante! suivre le cheminement quand je regardais ma vieillesse s'emparer lentement de moi. Je concevais avec sérénité le déclin de mes jours et me félicitais que l'âge me laissât encore certains plaisirs. Jadis, je m'en souviens, je croyais qu'on perd tout quand on perd la jeunesse : on ne perd que l'impatience. Je pensais que mon histoire était achevée, qu'il ne me restait qu'à attendre, tranquille, l'heure inscrite : ma fille va mourir avant moi.

Elle avait oublié les rideaux.

— Je suis désolée, Maman, murmura Delphine derrière elle.

— Excuse-moi, dit Mme Ferrand.

Elles se regardèrent. Comment traverse-t-on de tels moments? Il y a des codes pour tout, qui prescrivent la conduite aux naissances, aux mariages, aux anniversaires, aux funérailles, à Noël et le jour de la fête Nationale, mais ici, qui pleure? La fille sur sa vie qui s'achève ou la mère sur un deuil insensé?

Pauline quitta la fenêtre, alla vers Delphine.

— Je crois qu'il faut pleurer, dit-elle.

— Je ne peux pas.

Elle était effrayée.

— Si je commence, je ne pourrai jamais m'arrêter.

— Tu t'arrêteras très bien. Rien n'est inépuisable, la fatigue a raison de tout.

Delphine, tremblante, laissa les bras de sa mère se poser doucement sur ses épaules et sentit monter une vague de faiblesse. Ainsi le ciel soudain se couvre, un vent inattendu se lève, tout s'assombrit, on sent que la tempête approche, on court, on cherche un abri.

— C'est que Paul et Mathilde ne savent pas encore.

— N'aie pas peur. Tu y arriveras. Tu as toujours fait ce que tu pensais devoir faire. Ce soir, tu prends congé. Tu pleures avec moi. Avec qui pourrais-je pleurer ?

L'armure s'effrita, les dures pièces forgées par la peur et la fierté tombèrent, laissant les poignards pénétrer dans la peau nue. Pauline cherchait à envelopper toute sa fille. Dans sa mémoire le temps où son corps l'avait contenue s'agitait sourdement, elle avait été le rempart qui préservait, la forteresse impénétrable. Logée au plus profond de Pauline, Delphine avait été hors d'atteinte. Une houle de douleur la souleva : pourquoi faut-il que l'on naisse et que l'on quitte les bras ? Quel est ce jeu fou de venir au monde, de traverser la vie d'une rive à l'autre et puis de disparaître ? A quoi rime cette chaîne irrémédiable des générations ? Quel délire nous emporte, que nous nommons vivre ? Mais elle retint ses larmes : Delphine, appuyée contre elle, était toujours crispée, parcourue de sanglots secs qui s'achevaient en petits gémissements.

— Là... murmurait Pauline, là... doucement...

Comme jadis, pour les chagrins de petite fille, l'aidant patiemment à rejoindre sa tristesse et Delphine redit, sans l'entendre, les mots de son enfance :

— Oh ! Maman ! Tu ne peux pas savoir...

On ne peut jamais savoir, n'est-ce pas ? Chaque douleur est unique, n'a jamais été vécue et n'aura pas sa pareille. Le trait qui me blesse n'avait jamais été lancé, mon cœur qui le reçoit est le seul qu'il puisse atteindre ainsi. Pauline attira Delphine vers le divan, elles se blottirent dans les bras l'une de l'autre et peu à peu les larmes vinrent. Plus tard, Delphine s'endormit en pleurant dans les bras de sa mère et Pauline déploya autour d'elle un plaid qu'on rangeait toujours sous les coussins. Quand le froid réveilla Delphine, elles montèrent achever la nuit dans le grand lit tendu de blanc, celui-là même où, il y avait si longtemps, Delphine avait été conçue.

A huit heures et demie, Delphine revint de la boulangerie avec le pain frais et elles prirent calmement le petit déjeuner sur la grande table de cuisine, dans le soleil du matin. Elles parlaient peu, seulement pour les choses ordinaires : peut-être, après la veille au soir, avaient-elles pris peur des mots. Chacune retenait sa voix, comme on fait auprès des malades que l'on craint de fatiguer. Pauline sentit qu'elle souriait trop souvent, qu'elle était trop empressée et que, si elle voulait s'en empêcher, elle deviendrait roide et empruntée. Elle s'entendit souhaiter se conduire comme tous les jours : mais ceci n'est pas tous les jours, protesta une part d'elle plus sage et qui ne voulait pas nier la vérité. Pendant une seconde, elle vit qu'il serait facile de tout oublier : on se secoue, on s'ébroue comme un chien mouillé, on se débarrasse des pensées gênantes qui tombent sur le sol et s'y dessèchent, rien n'est arrivé. Il lui sembla n'avoir qu'à le vouloir et elle serait *avant*, quand elle ne savait pas encore et que les jours étaient un sentier facile, bien connu, où l'on va sans surprise. Elle se souvint de son avenir d'hier, de la perspective tranquille qui s'étendait sous ses yeux quand elle enterrait les oignons de tulipes en imaginant la petite tige verte qui perce le sol à peine dégelé, s'étire, la tête gonfle et blanchit doucement, puis vient un matin bien ensoleillé, le bel ovale refermé se redresse, calme et définitif, s'épanouit, on n'imagine plus le flétrissement, il traverse les semaines et ne s'ouvrira qu'au moment de mourir.

Delphine finissait avec difficulté sa tranche de pain.

— Comme tu manges lentement, dit Pauline, retrouvant sans y penser le vieux tracas des nourrices.

— C'est que je force mon appétit. Il est encore normal, mais Letellier m'a tenu de longs discours, je dois me faire des réserves et prendre quelques kilos tant que...

Elle s'interrompit, effrayée par ce qu'elle allait dire. Pauline qui tournait la cuiller dans son café leva les yeux.

— Vas-y. Achève ta phrase.

— Tant que je peux. C'est une chose étrange à dire, mais il faut que j'aie une aussi bonne santé que possible. Il m'a fait faire quantité d'examens, pour mesurer quantité de choses. Je prends toutes sortes de médicaments, qui m'assurent contre toutes sortes de désagréments.

Delphine se tut, se demandant ce qu'elle pourrait encore dire là-dessus. Pauline retira la cuiller du café, la déposa attentivement dans la soucoupe. Quand on regarde quelqu'un faire des gestes machinaux on imagine volontiers qu'il ne se passe rien d'autre que d'être consacré à une activité automatique. Parfois c'est que l'on n'a pas envie d'entrer en résonance. On s'occupe de l'apparence pour éviter ce qu'elle recouvre : ne serait-il pas temps de décrire Mme Ferrand, de montrer comment l'âge s'est inscrit sur le gracieux visage de Pauline qui avait vingt ans à la fin des années 30 ? Il serait facile de retrouver son aspect d'alors, les drapés, les petits chapeaux à voilette, la joue un peu ronde et le sourcil fin, peut-être épilé selon une mode qui étonne, de raconter comment elle a changé, mais aussi comment on retrouve dans son visage d'aujourd'hui son visage de jadis, les tracés délicats sous l'entrelacs des rides, comment, selon un certain angle, si la lumière est douce, on peut encore voir le modelé d'un menton de jeune fille dans le tracé alourdi par les ans, mais ce serait pour fuir le contact avec sa douleur, avec le poignard qui transperce. Il y a un mal intenable dont je ne veux rien savoir, c'est trop que d'y penser, car le deviner, le pressentir dans une autre âme est déjà l'éprouver. Vais-je en être préservée ? Entendre ce mal, le recevoir n'est-ce pas presque avouer qu'on l'a déjà connu et rejeté dans l'oubli, ou, imprudent, s'exposer au destin qui nous voyant capable de l'endurer se plairait aussitôt à nous l'imposer ? Pauline tournant la cuiller d'argent dans son café, la déposant ensuite comme si c'était l'objet le plus précieux et le plus fragile du monde est effrayée par la souffrance qui s'enracine en elle comme on pourrait l'être par la souffrance d'un autre, elle voudrait obscurément ne penser qu'à ses gestes, elle ne le peut pas, elle n'est pas faite ainsi, et soupire :

— Oui. Les choses vont être difficiles, mais il ne faut pas que tu te retiennes tout le temps de dire ce que tu allais dire. Tu ne peux pas empêcher que j'éprouve mes sentiments et ce n'est pas en détournant la conversation qu'on détourne les pensées. Et puis, j'y ai droit. J'ai le droit d'être – elle suspendit un instant sa phrase – bouleversée, déchirée. J'en ai le droit. Et tu as certes le droit de souffrir parce que tu m'imposes cela. Il en est ainsi, tu me l'imposes. Mais n'entrons pas dans une comédie stupide où je ferais semblant d'être paisible pendant que tu surveilles chaque mot : dans deux heures nous nous retrouverions face à face, à échanger de petits sourires ridicules et à nous demander l'une à l'autre si nous voulons une tasse de thé ou si nous avons été au cinéma ces temps-ci. Ce qui arrive est horrible. Fou. Devant la folie il faut penser autrement, je ne sais pas comment, il va falloir inventer.

Puis elle reprit résolument sa cuiller, tourna avec vigueur et but son café.

— Cela dit, j'ai mille questions dans la tête. Letellier dit que le temps ordinaire va de six mois à un an : il ne peut pas être plus précis ?

Delphine se sentit soulagée, autant parce que la difficulté avait été reconnue que parce que sa mère lui posait des questions claires.

— Non. Je suis vigoureuse. Un peu plus fatiguée que d'habitude, mais à peine, et je ne l'aurais peut-être pas remarqué. Ma toux s'est calmée.

Mme Ferrand la regarda attentivement :

— Tu n'as pas mauvaise mine. Tu es pâle, c'est que tu as peu dormi et tu as toujours marqué le manque de sommeil. As-tu maigri ?

— Pendant le rhume, oui. Mais je mange à l'entonnoir et j'ai déjà repris un kilo.

Elles se turent. Les mille questions se dérobaient. Pauline sentit le silence comme une menace. Elle rassembla les tasses et les assiettes.

— Et les enfants ? Quand vas-tu leur parler ?

— Plus tard. J'ai pris quelques jours de congé, je voudrais les passer ici. Je ne te l'ai pas dit, hier, je voulais d'abord... je veux dire que tu te serais questionnée sans me poser de questions et cela aurait été affreux. Je leur parlerai sans doute à mon retour.

— En théorie, je pourrais le faire pour toi, mais je n'imagine pas que cela te convienne.

— Non. Et c'est bien dommage. Ça m'arrangerait. Mais que veux-tu ? je suis comme tu m'as faite.

Pauline pensa : Pour le cancer aussi ? mais ne dit rien. Les limites reparaissaient. Ce n'est pas possible, se dit-elle en voyant la tasse de thé poindre à l'horizon.

— Ton père était médecin, et le mien aussi : pour nous, cela désigne plus ce qu'on ignore que d'enseigner quoi que ce soit. Est-ce un de ces cas où il y a transmission héréditaire ?

— Je ne sais pas. Je n'ai pas songé à le demander. Tu penses aux enfants ?

— Non, à moi, dit sèchement Mme Ferrand. A ce que je t'ai peut-être passé.

Delphine resta figée.

— Je suppose, dit-elle après un moment, que c'est le genre de questions qui ne peut que venir à l'esprit. Nous ne pouvons pas en faire grand-chose.

Pauline fut d'accord.

Les codes auxquels pensait Pauline concernent toujours la manière de vivre ensemble, mais il était question de la mort. Quand c'est l'heure, les choses se simplifient, on sait où se met le mourant, un protocole régit les places des familiers autour de lui. Jadis, le prêtre arrivait, tout était prévu, jusqu'aux paroles à prononcer. Tant que quelqu'un allait et venait dans les gestes de sa vie, on ne savait pas qu'un délai était défini. La maladie faisait son chemin, lente ou rapide, toujours clandestine, donnant peut-être quelque signe qu'on reconnaîtrait plus tard : une toux ? c'était la suite d'un mauvais rhume, une fatigue? l'arrivée de l'hiver et un investigateur indiscret ne pouvait pas les déchiffrer. Le corps avait ses secrets, voilà qu'on peut les lire. *Madame se meurt, Madame est morte*, nous avons désormais *Madame va mourir* dont il va bien falloir apprendre à se servir. Il y a des gens curieux qui découvrent des choses et les donnent à connaître à d'autres qui ne savent qu'en faire et ne peuvent pas s'en défaire. Le siècle qui a découvert l'Amérique a vite trouvé à l'utiliser : il y avait de l'or à en ramener et des personnes encombrantes à y expédier. Que peut-on tirer de *Madame va mourir*? « Je ne veux pas le savoir » serait bien tentant, mais notre époque le jugerait immoral. L'ignorance a cessé d'être un état naturel propre à la plupart des hommes, c'est un fléau dont il faut se défendre et l'instruction est obligatoire. L'ennui est que le savoir va parfois plus vite que la capacité de l'absorber et d'inventer comment en user. Delphine et Pauline regardent ce monstre bizarre qu'on a mis entre elles, on veut avancer, on s'y cogne, il faut le contourner mais on le retrouve aussitôt, il est indigeste et il faut l'avaler. Enlevez donc ça! diraient-elles bien, mais à qui? L'ennui des situations neuves est que l'on n'a pas de cérémonial établi pour les traiter. Il faut donc inventer, ce qui est difficile pour les petites choses et vingt fois par jour. On peut, assez facilement semble-t-il à voir l'histoire des

découvertes, consacrer dix ans de sa vie au pour-
chas d'une idée neuve, l'espoir de la trouver est un
appât si puissant qu'il tient son monde en haleine :
elles avaient à finir le petit déjeuner et à entamer
cette première journée d'une nouvelle ère. Qu'une
guerre éclate, c'est la mobilisation générale, on
court au grenier chercher les vieux uniformes dans
le fond des malles, on regarde avec angoisse le fils
qui ira au front : ici, il s'agissait de ranger la vaisselle et de décider ce qu'elles feraient pendant la
matinée. Les cheveux qu'on s'arrache et les cris
leur étaient interdits par leur caractère, c'est le plus
infranchissable des obstacles, elles décidèrent donc
d'aller au marché, comme Pauline aimait à faire le
jeudi, et d'y acheter des poireaux. Je pense qu'elles
regrettaient les cris : mais quand on a la voix cassée,
les poumons qui brûlent, quand on est au bout de
ses forces, il faut bien arrêter ? Tout cède à la
fatigue, avait dit Pauline, autant sauter l'étape des
grands déchaînements et passer à la routine qui
viendra quand même. Elles échangèrent donc des
paroles ordinaires et trouvèrent le rythme.

Dans la musique la mieux réglée on peut parfois
entendre une fausse note : elles vont et viennent,
mettent un disque, prennent un tricot, un livre, on
sent une retenue. La voix de Pauline est un peu voi-
lée, son geste moins large. Elle est prudente comme
une convalescente qui a peur de la rechute et

104

s'étonne quand elle s'en rend compte : c'est Delphine qui est atteinte ! C'est que sa fille a pour elle l'attention, la douceur que l'on donne aux malades : C'est vrai, pense Pauline, moi aussi je suis frappée.

Delphine était arrivée épuisée : elle dormit beaucoup, se promena avec plaisir et retrouva l'appétit. En trois jours, elle avait le teint plus clair, la joue arrondie et se regarda avec incrédulité dans le grand miroir du vestibule, un peu échevelée par les premiers grands vents, rose et rieuse :

— As-tu vu la mine que j'ai ? dit-elle étourdiment, Letellier doit être fou !

— J'aimerais bien, murmura Pauline.

Puis, elles se turent, embarrassées, et Pauline pensant aux tasses de thé reprit d'une voix nette et ferme :

— J'aimerais bien.

Qui acculait à la vérité dont on sait qu'elle court toute nue.

Une intimité paisible s'établit entre elles, ce fut Delphine qui tout à coup se rendit compte qu'elles n'avaient jamais vécu à deux :

— C'est incroyable, dit-elle en riant, c'est notre premier tête-à-tête ! Nous étions toujours à trois, avec Papa, puis à quatre avec Henri, et ensuite il y avait les enfants.

— Mais c'est vrai !

Elles cherchèrent :

— Ah! l'année où ton père est allé à New York, pour je ne sais plus quel congrès, je ne l'ai pas accompagné, c'était vers la fin de tes études, nous avons passé quelques jours à Paris.

— Oui, mais nous avions toujours le Louvre, ou l'Orangerie, ou un théâtre.

Mais quelles pièces avaient-elles vues? et Fantin-Latour, était-ce bien à l'Orangerie? Qui figurait dans ce merveilleux tableau où une assemblée d'hommes éminents regardent attentivement le peintre? Des écrivains? Zola?

— J'ai aimé un tableau, je me souviens de l'amour, mais plus de ce que j'aimais.

Elle n'acheva pas : La vie vous file entre les doigts, mes souvenirs meurent avant moi, je suis déjà dépossédée...

Elle explora le grenier : il s'y trouvait bien un vieux coffre avec ses cahiers d'écolière et les bulletins qui disaient, comme tous les bulletins, qu'elle pouvait mieux faire – est-il des écoliers à qui l'on n'a pas dit cela? Mais, qu'on veuille bien y penser, trouver un six sur dix et comme commentaire : Cette fois, la petite a été à l'extrême de ses possibilités? L'autoportrait dans le style du XVIIIᵉ n'était pas là.

— J'ai pourtant tout gardé, dit Pauline. Je dis depuis dix ans que je vais ranger ce grenier, puis j'y renonce, car je sais que je suis devenue incapable de jeter quoi que ce soit à cause des regrets qui me viennent quand je pense à telle ou telle chose que je pourrais retrouver si, quand j'étais jeune, j'avais eu l'esprit de la garder. Je m'étais dit : Qui cela intéressera-t-il ? et je ne songeais pas à moi-même ! Je croyais naïvement que ce dont on ne veut plus à vingt ou trente ans, on n'en voudra plus jamais.

— A quinze ans, j'avais décidé de tenir un journal intime, j'en ai bien rempli trois pages puis je l'ai oublié. Je ne sais s'il avait déjà passé trois ans quand je l'ai relu et brûlé sur-le-champ : à cet âge-là, on ne jette pas, on brûle, bien sûr ! Mais je suis devenue plus indulgente et je le relirais volontiers.

— N'en sois pas trop sûre. Heureusement que l'on ne se souvient pas du degré de sottise auquel on peut atteindre. Il en reste parfois des traces : chaque fois que je croise le pharmacien, je rougis, car j'étais amoureuse de lui au temps de ma communion solennelle et j'en suis encore vexée aujourd'hui.

Elles se promenaient beaucoup et se couchaient tôt. Delphine prenait un somnifère et s'endormait vite. Pauline choisissait un livre, s'installait sur ses oreillers et restait longtemps les yeux dans le vague, flottant dans un univers de pensées indistinctes. Puis elle forçait son attention et commençait à lire : c'est alors que les pensées devenaient précises et la prenaient au dépourvu, brutales. Elle sentait à l'intérieur d'elle-même cette femme peu à peu rongée qui dormait dans la chambre voisine.

Le mardi :
— Il faut que je rentre, dit Delphine, et que je parle aux enfants.

Que fait-on lorsqu'on se retrouve seule ? Pauline regarda Delphine s'éloigner puis rentra dans la maison. Elle s'arrêta un instant : tout pouvait vaciller et perdre sens, il était possible de se retrouver dans le vestibule familier comme en terre étrangère, de regarder autour de soi sans rien reconnaître, de lâcher prise, de gémir, se dire la victime d'un destin injuste et pleurer. Mais après cela ? se demanda-t-elle, et décida que l'étape étant ennuyeuse, il valait mieux la sauter.

Sur la route :
— Je ne veux pas aller chez Mathilde, pensa Delphine.
Elle se réprimanda, se tint des discours moraux sur les devoirs d'état, se traita de lâche et brusquement comprit qu'elle était toujours aussi naïve qu'à quinze ans et qu'elle irait chez Mathilde, que tenter de s'assourdir de lieux communs était inutile car elle était incapable de ne pas faire ce qu'elle

croyait devoir faire, or elle avait cent kilomètres
devant elle et cent kilomètres de clichés éculés
étaient au-delà de ses forces. Je puis aussi bien
m'écouter penser les choses qui me choquent,
puisque je sais parfaitement qu'elles ne changeront
pas ma décision. Mais elle n'y parvenait pas, tout le
temps une voix scandalisée venait lui brouiller les
idées. Alors, elle décida de parler tout haut.

—Je ne veux pas aller chez Mathilde. Je ne veux
pas voir son visage quand elle m'aura entendue. Il
faudra que je regarde ailleurs, ou je ne pourrai rien
dire. J'ai déjà vu le visage de ma mère, je ne veux
pas voir ce visage de fille détruite. Fille. Comme le
français est pauvre, en anglais on a *girl* et *daughter*.
Un mot pour désigner le sexe et un pour la filiation.
Je ne veux pas dire à ma fille qu'elle ne va plus
avoir de mère. Moi, j'aurai ma mère jusqu'au bout.
Je meurs trop tôt, c'est vrai, et je m'en plains beaucoup, mais on ne me fait pas ce que je vais faire à
Mathilde.

Elle pleurait en conduisant.

—Je ne le dirai pas. J'enverrai Letellier. Oh!
quelle pensée délicieuse! Voilà, je rentre chez moi, je
téléphone à Letellier, je lui dis que je n'ai pas le courage, je prends des somnifères et je dors. Il arrive
vers dix heures, comme d'habitude, et il me rassure,
c'est fait, Mathilde a dignement pris les choses. Moi,
si j'y vais, je sais bien comment elle sera : digne, c'est

évident, nous sommes comme ça dans la famille, nous n'avons pas le loisir de faire autrement, mais je verrai quand même son visage de jadis, son visage d'enfant qui pleure, de petite fille brusquement dévastée par un chagrin inimaginable, le visage qu'elle avait et dont je me souviens si bien, qui m'empêchait de lui refuser un bonbon ou une poupée, et tout le monde me désapprouvait. Je ne peux pas supporter la douleur d'un enfant, j'étais la même avec Paul et ils me faisaient faire tout ce qu'ils voulaient. Si ma mère a eu ce visage-là devant sa mère je n'en sais rien, il n'est pas dans mon histoire, alors c'était facile de lui parler. Mais Mathilde ! Mathilde ! Elle me regardera calmement, il n'y aura pas de cris, peut-être un battement de paupières, mais je sentirai les larmes et le déchirement. Je n'irai pas. Je n'irai pas. Ne pleure pas, Delphine, tu n'y vas pas. Tu rentres chez toi, tu téléphones et tu dors.

Et pour finir, à se raconter tant de mensonges, elle se trouva drôle et rit.

Il n'était pas dans leurs usages que Delphine vînt à l'improviste, c'est un privilège de fille, les mères doivent être priées. En ne s'annonçant pas, Delphine savait qu'elle alertait.

— Assieds-toi, dit Mathilde, veux-tu boire quelque chose ?

Naturelle, aimable, c'est ainsi qu'on accueille une personne qui surprend mais qu'on veut mettre à l'aise : donc elle avait déjà peur et s'attachait à le cacher en se hâtant vers la cuisine et les oranges. Delphine trembla devant la puissance du mouvement qui la soulevait : il faut toujours rassurer les enfants qui ont peur, elle faillit suivre Mathilde, avoir le sourire qui allait dissiper l'inquiétude, dire les mots apaisants et ne s'en empêcha qu'en répétant « Je n'irai pas, je n'irai pas », oubliant, dans son besoin de secours, qu'elle y était déjà. Elle s'assit, ferma les yeux et brusquement lui revint, précis comme si elle le relisait, le seul poème qu'elle eût jamais écrit et qu'elle avait brûlé avec ses trois pages de journal intime : *Je voudrais avoir habité dans une vieille maison, au milieu d'une campagne verdoyante où les collines se déroulent avec harmonie jusqu'à l'horizon. Les fenêtres s'ouvrent sur un paysage immense, on voit des routes que l'on n'a jamais suivies jusqu'au bout, et trop de villages pour avoir le temps de les visiter tous. Là, je n'aurais jamais peur.* C'était à peu près la description du pays où j'avais vécu et j'ai trouvé ridicule de parler d'une chose que j'avais eue comme d'une chose que j'aurais aimé avoir. A dix-huit ans je n'ai pas compris mes quinze ans, je ne les comprends qu'aujourd'hui où je voudrais tant pouvoir m'enfuir.

— Je viens de Modave, dit-elle quand Mathilde reparut avec l'orangeade.

Un mardi? en pleine semaine? Mathilde remplit les verres et s'assit.

111

—Je crois que tu veux me faire comprendre qu'il se passe quelque chose.

Alors Delphine répéta les trois petites phrases nettes sur le cancer, l'incurabilité et le délai.

Mathilde pensa très clairement « Ma mère va mourir » puis elle s'attacha à écouter les mots résonner en elle : rien. Pas de réverbération, pas d'écho, les paroles restèrent sur place, comme une bille qu'on laisse tomber sur du sable. J'aurais aussi bien pu me dire « La marquise sortit à cinq heures » ou « Mon tailleur est riche ». Ces mots, quand je les assemble, perdent tout sens. Il faut donc les séparer. Découper la difficulté en ses parties. Voyons, que veut dire « ma mère »? Elle regarda Delphine, pas comme on fait naturellement au cours d'une conversation, mais comme un mathématicien une formule nouvelle dont il attend qu'elle lui parle, un biologiste une coupe sous le microscope ou Rosette sa pierre. Le visage très familier de sa mère lui devint tout à fait mystérieux, cryptogramme illisible. Je l'ai connue toute ma vie, elle a changé, cela est sûr, quelques rides, l'œil qui se creuse, que sais-je? depuis quand porte-t-elle les cheveux courts? C'est ma mère : est-ce qu'une mère a un destin personnel? Peut-on admettre qu'elle s'engage dans sa propre histoire au point d'être malade et d'en mourir? Oublie-t-elle que je suis sa fille et va-t-elle m'abandonner, possédée par elle-même, requise ailleurs, distraite ? Ma mère. Je vois comment elle est aujourd'hui, mais pour retrouver le visage de mon enfance, je devais recourir aux photos. Quand je pense « ma mère » j'entends bien que parmi ces deux mots « mère » est de grandeur ordinaire, mais le possessif est immense. et emplit tout – je ne sais quel tout, mais : tout – il résonne formidablement, c'est comme l'orgue dans une cathédrale, l'espace entier est occupé, il vibre, j'entends rouler l'océan, le temps gronde et les galaxies jaillissent. Cela qui m'appartient devient tout à coup cette femme à peine amaigrie qui tient le regard détourné de moi sans doute par délicatesse, pour me donner le temps, la place de penser. L'autre partie de cette phrase impossible est « va mourir » qui a un sens parfaitement clair quand il n'est pas accolé à « ma mère ». Les mots « ma mère va mourir » ne produisent pas de sens. Ce sont des bruits qui entrent dans mes oreilles et ne s'installent nulle part dans mes pensées. Il y a devant moi quelqu'un qui sait toucher au terme de sa vie. La mort l'a désignée. Dans les cimetières on voit parfois, sur les caveaux de famille, les noms d'un couple : l'époux est déjà là, le jour de sa naissance et celui de sa mort sont gravés dans le marbre, mais sous le nom de l'épouse, il n'y a qu'une seule date, et un tiret. La place est prête

113

pour graver la deuxième. Mon père n'a pas de tombe et aucune pierre n'attend ma mère, mais quelque part les chiffres invisibles vibrent, se groupent, sont prêts à se rassembler, à se poser dans les registres d'état civil et à s'inscrire dans les mémoires. Une femme va mourir, et cette femme est ma mère. Cette phrase est constituée de deux propositions indépendantes qui, prises une à la fois, ont du sens.

Il faut que je parle, pensa-t-elle, je ne peux pas la laisser ainsi dans le silence.

— Quand ?

Delphine répéta :

— Pas plus d'un an, mais probablement moins. L'évolution est toujours rapide.

Elle entendit sa voix avec étonnement : calme, bien timbrée, il y avait une nuance d'autorité. Mais j'ai déjà parlé ainsi ! et retrouva avec stupeur le temps des plaies et des bosses, le ton ferme qu'il fallait pour la teinture d'iode ou l'alcool sur les genoux écorchés. Il est pourtant vrai que je la blesse et qui la soignerait mieux que moi ? Voilà que je dois soigner ma fille de ma mort après que ma mère m'en a soignée. On se passe cela de génération en génération, il y a toujours une mère qui soigne une fille, et ça chemine à travers les siècles.

Mathilde se leva brusquement :

— Tu n'as plus de jus d'orange. Je vais t'en préparer un autre verre.

Donner à boire, à manger : les millénaires ont pourvu les femmes de gestes utiles où loger l'émotion qui pourrait les dévaster, elles ont toutes à leur service un très ancien code de servante prêt à les secourir. Dans la cuisine, Mathilde sentit monter la colère :

— Qu'est-ce je fais là ?

Puis retourna au salon :

—Je voudrais être seule, dit-elle, sans regarder Delphine. Excuse-moi. Je te téléphonerai plus tard.

Reste Paul, pensa Delphine.

Il n'était pas chez lui. Elle entra, dans une cabine publique et téléphona à l'hôpital où on lui dit qu'il serait de garde à partir de huit heures. Le délai l'épouvanta, elle se sentit seule dans une ville étrangère, sans but et sans projet, tout lui parut menaçant, où aller, où se réfugier ? Elle songea aux somnifères, retourna vers le centre, regarda les salles de cinéma et eut envie de crier. Il me faudrait une amie, se dit-elle, quelqu'un qui puisse apprendre ma mort sans en être déchiré, mais je n'ai pas cela, je n'ai jamais eu besoin de confidente, je ne racontais pas mes malheurs car je n'avais pas de malheurs, il n'y a pas de porte où je puisse sonner à cinq heures de l'après-midi et sangloter en ne pensant qu'à moi. Sauf Letellier, mais il est en train de prescrire des aspirines, je ne peux pas l'appeler.

— Non, c'étaient des antibiotiques, répondit-il au téléphone. Je viens de finir ma consultation. Où êtes-vous ?

— Quelque part en ville, dit-elle.

— Rentrez chez vous. J'arrive.

— Mais vous devez faire vos visites ?

— Vous en êtes, ma petite, dit-il doucement.

Quand il sonna, elle courut à la porte puis resta immobile devant lui car elle ne savait pas comment on fait pour s'effondrer. Il la prit par les épaules et l'entraîna vers le salon où il la poussa vers le grand canapé. Puis il ouvrit sa trousse, prit une ampoule. Elle le regardait :

— Que faites-vous ?

— Je vous prépare un calmant. Une dose à abattre un cheval. Telle que je vous vois, il faudra bien cela.

— Je ne peux pas. Je dois parler à Paul.

Il aspira soigneusement le liquide dans la seringue.

— Ma chère Delphine, j'ai beaucoup d'amitié pour vous et peut-être bien je ne sais quoi d'autre qui, actuellement, n'a pas à faire l'objet de notre discussion, mais, sauf à être déchargé par vous de cette fonction, je suis votre médecin et il ne convient pas que je vous laisse dans l'état où vous êtes. Je ne soigne pas Paul. Dans dix minutes, lorsque le tranquillisant aura agi, vous comprendrez probablement que je fais mon devoir.

Elle tendit le bras.

— Alors ? dit-il quand il eut fini.

— Mathilde m'a demandé de partir. Je suppose que j'aurais dû y penser, je n'ai pensé à rien. Je ne sais pas où est Paul. Je dois continuer.

— Vous êtes tout à fait folle et je vais avoir à vous traiter pour dépression nerveuse, ce qui n'est pas de ma compétence. Je m'occuperai de Paul. Il est presque médecin, je lui parlerai mieux que vous ne pourriez faire.

— Je dois le dire moi-même.

— Vous ne comprenez donc rien ? Le dire à votre mère, je veux bien, elle pouvait vous consoler, mais comment voulez-vous que vos enfants se fassent consoler par vous ? Mathilde a pourtant été claire ! Ils ont besoin de quelqu'un d'autre.

— Elle a dû appeler Louis. Mais Paul est de garde, il sera seul.

— On n'est pas seul dans une garde. Comment vous sentez-vous ?

— Fatiguée.

— J'y compte bien.

Brusquement elle se mit à pleurer.

— On ne s'appartient pas, dit-elle. On est la proie de ceux dont on est aimé. Ne m'aimez pas, je vous en prie.

117

Il la prit dans ses bras.

—Je ne pensais pas du tout à la mort. J'avais décidé de ne pas tricher avec l'âge et que le temps des amours était fini pour moi, mais je suis flouée. Il me semble que mon histoire va être cassée, qu'elle s'arrête avant la fin. J'avais encore à faire. Tout est trop court, tout est trop imprévu, on est pris par surprise. Je sens bien qu'avec votre piqûre je vais m'endormir, mais à quoi sert que je dorme? Au réveil, la mort ne m'aura pas quittée. J'étais contente de moi parce que j'avais commencé à renoncer : je me trompais de renoncement. C'est moi-même que je dois quitter, ni la jeunesse, ni les amants, et je ne suis même pas sûre que je m'aimais.

Elle se tut. Des vagues de silence montaient.

—Je crois que je m'endors, dit-elle.

Quand sa respiration fut paisible, Letellier l'installa sur les coussins. Il savait où était la chambre et monta y prendre un édredon pour la couvrir. Puis il chercha les clés dans son sac et mit un mot sur la table du salon : Je suis sûr que je serai de retour avant votre réveil, mais si jamais je tardais, ne bougez pas. Vous n'êtes pas en état de conduire. Je ramènerai Paul, j'ai pris vos clés pour les lui donner.

A huit heures, il était à l'hôpital où Paul arrivé tôt finissait des points de suture.

—J'ai à vous parler, lui dit-il.

118

Delphine dort. A Modave, Pauline enfin seule tourne en rond, pas plus que sa fille elle n'a d'amie chez qui aller pleurer, c'est peut-être un trait de famille. Elle ne sait plus comment elle passe ses soirées : Je lis ? Je regarde la télé ? Il me semble que je ne suis jamais inoccupée. Une part d'elle avait aspiré au départ de Delphine et ne sait plus pourquoi. Elle regarde sa montre : Il n'est pas neuf heures, je ne pourrai pas m'endormir, et se résigne à rester assise au salon, les yeux dans le vague, triste.

Mathilde est dans les bras de Louis :
— Je ne peux pas pleurer devant elle.
— Pleure avec moi.
Elle s'appuie sur lui. Elle cherche quelque chose en soi, fait peser son front sur l'épaule, ordonne aux digues de s'ouvrir et au chagrin de déferler. Mais elle reste roide, le front durement appuyé, les dents serrées.
— Ce n'est pas cela que je veux, dit-elle avec un sanglot sec. Je veux taper, tempêter, je veux être en colère, lui crier après, lui dire qu'elle n'a pas le droit, qu'est-ce qui lui permet ? je ne suis pas d'accord. Et ne me dis pas que tu comprends, je ne veux pas que l'on comprenne, je veux tout casser et

119

qu'on me secoue. Je veux être mauvaise, injuste, déraisonnable, infantile et enragée. Je veux la bousculer jusqu'à ce que son cancer lui sorte du corps, qu'elle admette ses torts, qu'elle reprenne le droit chemin, qu'elle s'excuse et peut-être, si je suis très généreuse, je lui pardonnerai.

Elle sanglotait sauvagement et Louis restait immobile, attentif.

— Où va-t-elle prendre qu'elle peut mourir, à son âge et au mien ? Il faudrait peut-être que je sois d'accord ? que je lui donne ma bénédiction ? qu'est-ce que c'est que cette manière de me traiter comme si je n'avais plus besoin d'elle ? A-t-elle jamais été fiable ? Depuis combien de temps me trahit-elle sournoisement et nourrit-elle sa perfidie ? Tu la connais, toujours présente, elle répond quand on a besoin d'elle et c'est la réponse juste, elle te ferait même penser, parfois, qu'elle est trop attentive, et voilà qu'elle conspire dans le silence. Elle te regarde en face, elle te sourit droit dans les yeux, tu t'y fies, tu te laisses aller et quand tu crois que tu es en sécurité, elle frappe. Je la déteste, je la déteste. Dans vingt ans, ayant eu mes propres enfants, j'aurais peut-être admis. Mais qu'est-ce que j'ai, moi ? Je suis la branche stérile d'un tronc qui se dessèche. Regarde comme elle est avec sa mère et ce dont elle va me priver. Je voulais moi aussi aller chez ma mère, à Modave, plus tard, quand j'aurais eu l'âme

120

fatiguée, m'asseoir au jardin pendant qu'elle aurait fait pousser les fleurs et passer le café. Si Pauline mourait, j'aurais du chagrin, mais ma mère! je n'ai que de la rage, c'est injuste, elle n'a pas le droit de me priver d'une mère qui m'accompagne pendant mon âge adulte. Si tu me dis un seul mot de compréhension, je jette la vaisselle par la fenêtre et jure-moi d'être furieux, il faut que quelque chose reste normal dans tout ça, qu'il me reste des certitudes. Si je casse le Limoges de ton arrière-grand-mère, jure-moi que j'aurai des baffes.

— Je le jure.

— Et voilà, je ne peux pas la battre. D'abord, on ne bat pas sa mère et puis je sens bien qu'au plus fort de la rage mes coups n'arriveraient pas jusqu'à elle. Elle sera bientôt si faible que le moindre croche-pied la ferait vaciller. Tu aurais dû voir comment elle m'a dit cela : attentive, cherchant les mots exacts et les plus neutres, prête à me ramasser si je tombais. Tu frappes, mais tu as un rouleau de gaze et du sparadrap pour la blessure. Je te jure qu'elle ne m'a parlé de sa mort qu'en pensant à moi. Pas une larme pour elle. J'avais devant moi un robot programmé pour les soins. Elle a toujours été comme ça. Quand mon père est mort, elle passait des nuits blanches, parfois je dormais mal, je venais la rejoindre, toujours elle avait les bras ouverts et m'écoutait pleurer. J'ai mis dix ans à comprendre.

121

Que veux-tu faire avec une mère comme ça? J'avais dix-sept ans quand elle a pleuré pour son propre compte devant moi, c'était à la mort de son père. Et ce sont des maniaques dans cette famille : Pauline ne s'occupait que de la douleur de sa fille. Je lui ai dit : Et toi? Et ta perte? Elle a répondu : Après. J'ai le restant de ma vie pour ça. Elles sont folles.

Elle pleure et parle pendant des heures.

Letellier ramène Paul à la maison.

— Normalement, elle s'éveillera d'ici une heure ou deux. Ne la laissez pas s'agiter. Avec un demi-Mogadon elle se rendormira.

Paul s'assit devant sa mère. Il n'avait allumé qu'une lampe. Dans la pénombre, il ne distinguait pas bien Delphine : il cherche le visage de ses souvenirs, mais on ne retrouve pas les images du passé, toujours le présent envahit le regard. Ou l'avenir. Il réentendait Letellier : il connaissait bien cette façon de parler, le discours concis de la clinique, les chiffres, les examens qui sont faits, ceux que l'on prévoit, la voix sans passion du savoir. Il me parlait de ma mère. L'irrémédiable a un goût très particulier, qui lui était déjà familier. Nous sommes les servants de la mort, pensa-t-il, nous marchons sur ses traces, elle gagne toujours. Je vais faire un métier où mes victoires ne seront jamais que temporaires.

Delphine s'éveilla vers minuit. Il vint s'asseoir près d'elle et ils restèrent longtemps silencieux.

# 4

## *Rex tremendae*

— Au fond, dit Delphine à Letellier, je ne meurs pas davantage qu'avant le diagnostic. Tout sera plus facile lorsque les choses auront vraiment commencé : pour l'instant ce ne sont même pas les trois coups.

Qu'est-ce qu'une réalité qui ne se voit ni ne se sent ? Ils restèrent désemparés. Paul alla voir Mathilde.

— Que faut-il faire ? demanda-t-il.

— Je ne sais pas. Louis dit : rien du tout et que nous devons vivre comme avant, tant que rien ne change. C'est à elle de décider.

— Mais tout est changé !

Et il eut pendant une seconde ce visage d'enfant désespéré que Delphine n'avait pas voulu voir.

Paul est un jeune homme très occupé. Il apprend un métier dont Letellier connaît la terrible exigence, il aime à être amoureux, ce qui occupe les soirées libres et comme il a le goût de la musique, il fait partie d'un quatuor à cordes. Toutes les semaines, on y écorche assidûment Beethoven : cela n'est pas mon jugement mais la façon dont les partenaires nomment une activité qui leur donne beaucoup de plaisir, en assurant que même un compositeur sourd fuirait en se bouchant les oreilles. Ainsi les agréments se disputeraient son temps, s'il n'était ferme et ordonné : il est à l'heure à l'hôpital et dans le lit où il est attendu, le retard est un luxe qu'il n'a pas le temps de s'accorder et le voilà tout à coup assailli par une préoccupation qui prend le pas sur les autres.

Mathilde regardait son frère, et se disait qu'il n'y avait plus beaucoup d'intimité entre eux. Depuis quelques années ils suivaient leurs pentes en se saluant de loin. Ils se voyaient chez Delphine ou à Modave mais ils ne s'étaient pas souciés d'établir des habitudes entre eux.

— Reste dîner, dit-elle.

— Oui, mais je partirai à temps pour l'hôpital.

Ils voulaient parler de ce qui occupait leurs esprits : mais que dire ? Entre « Je n'arrive pas à y croire » et « Elle a l'air tellement... » ils épuisèrent vite quelques lieux communs, puis tombèrent dans un silence qui les dérangea tous les deux. Alors ce fut « Comment va ton stage ? » et « Où en est ta thèse ? » qui les occupèrent jusqu'au moment où Paul devait s'en aller. Ils s'embrassèrent et quelque chose se passa, ce ne fut pas le baiser machinal qu'ils échangeaient depuis si longtemps, une émotion remonta de leur enfance, leur père était mort, le soir l'un des deux quittait son lit et se réfugiait auprès de l'autre, ils se serraient pour laisser Delphine dormir ou pleurer en paix, cherchant une proximité, une présence qui dénouerait le chagrin. Un instant ils s'enlacèrent étroitement, oublieux de ce qui les avait séparés, retrouvant les corps impubères de leur fraternité, buste plat, sexe imberbe, joues au goût de larmes et l'odeur de l'enfance. Une brève tempête de nostalgie passa sur eux, le souvenir de leur amour quand rien ne l'entravait, et puis le temps les reprit, inexorable et qui toujours sépare. A l'hôpital, Paul fut plongé dans les gestes précis, les questions courtes et les décisions rapides qui allaient remplir sa nuit : parfois, le stéthoscope aux oreilles, écoutant attentivement battre un cœur, il sentait passer en lui une tristesse ténue, silencieuse, la dernière feuille morte quand ce n'est même plus le vent qui l'emporte mais qu'elle se détache de l'arbre, tirée au sol par son propre poids pourtant si faible qu'elle plane longtemps dans l'air immobile avant de se poser. Il ne prit pas le temps de s'écouter, à cause du malade angoissé qui disait « Alors, Docteur ? » et qu'il fallait, qu'il mourût tantôt ou beaucoup plus tard, rassurer sur sa vie.

A partir de ce soir-là, ils cessèrent de s'oublier.

Enfants, ils n'avaient pas choisi d'être frère et sœur : leur mère allait mourir, ils sentirent leur fraternité comme un bien fragile dont la charge leur incombait et qu'ils devaient entourer de soins.

Le plus difficile fut de revoir Delphine. D'obscures réticences agirent, ce genre de distraction dont on ne se parle pas, je ferai cela tout à l'heure et voilà que c'est demain, il passa plusieurs jours avant que Mathilde se rendît compte qu'elle n'avait pas téléphoné. Elle appela Delphine à son bureau, bafouilla des excuses.

— Laisse ! Letellier m'a expliqué que Paul et toi avez besoin d'un moment pour – il appelle ça : vous réorienter.

Elles déjeunèrent ensemble et ce fut comme avec Paul, en dix minutes elles parlaient avec animation des choses qui peuplaient d'habitude leur conversation. Après un moment Mathilde effarée s'en aperçut.

— Je sais bien, dit Delphine, mais nous vois-tu pendant six mois ou un an contemplant ma fin prochaine ? Ce serait à mourir d'ennui : n'en rajoutons pas.

Puis Paul ayant fini son tour de garde vint la chercher au sortir du bureau.

— As-tu faim ? Je t'invite à dîner, mais il faudra que tu paies car c'est la fin du mois et je n'ai plus d'argent.

Elle rit et le suivit. Ils n'essayèrent même pas une conversation de circonstance, Paul parla d'hôpital, d'opérations, il se spécialiserait peut-être en chirurgie, et de diagnostics difficiles. Puis, comme elle lui demandait s'il viendrait passer Noël à Modave, et avec qui, il expliqua qu'il viendrait seul :

— Je commence à me fatiguer des amours de trois mois. Quand je vois Mathilde et Louis, je les envie. Je voudrais entrer dans quelque chose de durable, mais je n'ai aucune idée sur la façon de faire.

Ils discutèrent gravement : comment passe-t-on des premiers feux à l'accord ?

— Je crois que je plais trop, dit-il le plus simplement du monde. Cela ne donne pas le temps de réfléchir, nous nous retrouvons au lendemain matin avant d'y avoir pensé. En somme, personne n'a le temps de choisir.

Mais selon quelles règles se fait un choix si grave ?

— Les gens n'arrêtent pas de divorcer. Les plus prévoyants ne se marient même plus, dit-il. Mes trois mois font trois ans quand on s'est mis en ménage, on achève de payer les traites avant de partager les meubles.

— Je crois que tu vas bientôt réclamer des garanties aux autres dans un domaine où l'on ne peut même pas en obtenir de soi-même.

A dix heures, Delphine se coucha d'excellente

humeur et fut réveillée à minuit par un cauchemar :
le temps de se rendre compte qu'elle avait poussé le
cri qu'elle venait d'entendre et elle ne savait plus ce
qui lui avait fait si peur. Puis elle se souvint qu'elle
mourrait bientôt et retrouva son rêve : elle y avait
vu son père, couché sur son lit de mort, définitivement étranger, tel que dix ans plus tôt elle
l'avait veillé en pensant que personne n'avait pu
assister Henri dans sa longue descente. Très longtemps, elle avait regardé Albert Ferrand, qui semblait calme, les yeux clos, et qui d'instant en instant
s'éloignait, froid, jaunissant, emporté indéfiniment
vers nulle part où il ne pourrait pas être rejoint.
Parfois elle sentait un étrange mouvement, une
envie de se pencher, de tendre la main pour le retenir, ou appeler, ramener son attention vers cette
terre-ci. Il était immobile, entouré d'une carapace
de silence. Elle s'était dit qu'un mort est quelqu'un
qui se tait, on n'entend même plus son souffle, et
qu'Henri avait été quelqu'un qui n'est pas revenu.
Jadis, pour savoir que quelqu'un ne reviendrait pas,
il fallait beaucoup de temps, il devait avoir passé
des années, les saisons se suivaient, on comptait
depuis combien d'automnes, combien d'hivers, le
bateau n'était pas rentré au port, les enfants
grandissaient et peu à peu l'idée se formait que le
marin était perdu et que sa femme était veuve.
Delphine regardant son père se convainquait de la

mort. Pour Henri, elle n'avait eu qu'une nuit et pas de cadavre, il avait fallu faire en quelques heures le travail de dix ans. Elle pensa, cette nuit-ci, que cela avait été du bricolage, mais se souvint qu'elle devait donner aux enfants, le matin, une mère utilisable. Pour son père, il y avait eu le cimetière, le curé, les fleurs, les voisins. Sans le mort, il n'y a pas d'enterrement, pas de messe, pas de repas funéraire. Elle comprit tout à coup un sentiment de manque qui avait toujours rôdé en elle et pourquoi, en regardant le cercueil d'Albert Ferrand descendre dans la fosse, elle avait eu comme un bref moment de soulagement, vite oublié ensuite. Il faut une cérémonie. Nous ne croyons aux événements naturels que lorsque nous les avons doublés d'un rite.

— J'ai au moins six mois, se dit-elle.

# 5

## *Quaerens me*

Hors les inévitables pluies de septembre, le beau
temps dura jusqu'à la fin d'octobre. Mais, façades
et trottoirs mouillés, parapluies secoués par le vent,
passants pressés et grognons, Bruxelles reprit son
aspect ordinaire en novembre. On revit les averses
torrentielles, les tunnels inondés, les embouteillages,
on entendit de nouveau les plaintes persistantes des
gens qui ne se résignent pas à être nés sous un triste
climat. Un froid précoce fit présager que l'hiver
serait rude, il fallait rentrer au plus vite les plants de
dahlias et les géraniums, il y eut quelques flocons de
neige à la mi-décembre et des espoirs de Noël blanc
qui firent acheter de grosses bottes et d'épais chan-
dails. Des images d'enfance se ravivèrent : on y voit
les rennes tirant un chariot à travers des campagnes
immaculées, un père Noël rubicond dépose les

cadeaux dans les cheminées. La ville fut ornée de guirlandes lumineuses, les vitrines regorgèrent de jouets, la chasse aux cadeaux commença dans la gaieté, puis le temps se réchauffa et la pluie revint. Il n'y eut pas de bonshommes de neige, les carottes destinées à leur faire des nez finirent dans la soupe et les luges bien briquées retournèrent au fond des garages. Les grandes gelées n'arrivèrent pas, ni le ciel bleu sur des campagnes blanches, ce furent la grisaille, l'humidité et les rhumes.

Plus tard, lorsque Pauline et les enfants chercheront à se remémorer cette période, ils seront étonnés par le peu de souvenirs aigus. Voyons ! la tragédie se déployait, où sont les battements profonds des tambours, les grands accords sombres, le leitmotiv de la mort qui, d'un instrument à l'autre, parcourt lentement l'orchestre ? En mars, tout devint clair et la grande folie de la fin commença, mais dans l'intervalle ce fut – ni le malaise, ni l'ambiguïté : peut-être la maladresse ? On ne passe pas des semaines à la pointe de soi. Les façons d'être ordinaires étaient devenues périmées : par quoi les avons-nous remplacées ? Qu'avons-nous fait de nos habitudes, du coup de téléphone rare, de la visite en passant et de la discrétion ? Mathilde envia les familles à disputes : c'est l'occasion de se réconcilier, on se retrouve, il y a des effusions, des regrets, des récits sur le temps de la brouille, toutes choses qui laissent des traces fortes.

Seul le dîner de Noël fut un moment précis et brillant. Il eut lieu à Modave, comme tous les ans. Paul parvint à se faire remplacer et Letellier – que plus personne ne nommait *ce bon* Letellier, mais que l'on n'appela jamais François – prit deux jours de congé. Les cousins, tout gênés, annoncèrent qu'ils ne pourraient pas venir : ils allaient à Londres, retrouver d'anciens camarades de combat avec qui fêter les cinquante ans de l'armistice. Ils n'épargnèrent à Pauline aucune des raisons qui justifiaient qu'ils eussent accepté une invitation qui les écartait de la famille, et Mme Ferrand montra toute la compréhension d'une âme sensible.

— Je jure qu'ils n'ont pu voir aucune trace de soulagement dans ma sympathie attentive.

Ce dont elle fut hautement félicitée par Mathilde.

Delphine arriva le jeudi soir avec Mathilde et Louis. On répartit les chambres : Pauline céderait la sienne au jeune ménage, Delphine reprendrait sa chambre de jeune fille qui était assez grande pour que l'on y ajoutât un lit d'appoint pour Pauline, Paul et Letellier occuperaient les lits jumeaux de la chambre d'amis. Il y eut de grandes allées et venues d'oreillers et d'édredons qui sentaient la lavande, dont Pauline avait toujours prétendu qu'elle était

135

aussi efficace que la naphtaline, ce qui n'était pas scientifique mais bien odorant.

Le vendredi se passerait à cuire. Louis n'avait aucun talent de cuisinier, mais un sens remarquable de l'organisation : au petit déjeuner, Pauline lui donna la liste des plats avec les temps de cuisson et une description précise des préparatifs. Il traça quatre colonnes, inscrivit les heures en ordonnée et les tâches en abscisse : éplucher, découper, moudre, ébouillanter, qui et quand, tout fut prévu pour atteindre un rendement maximum avec un minimum de fatigue. Mathilde admirait, Pauline ni Delphine ne marquèrent le moindre scepticisme et, vers six heures de l'après-midi, elles reconnurent le plus sincèrement du monde l'efficacité d'un si beau plan de travail. Paul servit de garçon de course pour ce qui avait été oublié.

M. Bertholet, le voisin qui avait proposé à Pauline d'unir leurs solitudes, était invité. Lorsque Letellier arriva, Mathilde s'émerveilla :

— Quatre hommes et trois femmes à table ! Je n'avais plus vu cela ici depuis des années !

Elle fit les cartons : Pauline présiderait, Letellier à sa droite, le voisin à gauche. Louis s'assoirait à côté de Delphine et Paul à côté de sa sœur.

— Quelle merveilleuse famille ! dit M. Bertholet.

Letellier était amusé :

— Il y a vingt ans que je fuis ma parentèle.

— Et pourquoi ? demanda Mathilde.

— C'est une question de vie ou de mort. Je n'ai pas la force morale qu'il faut pour survivre à l'ennui.

La soirée fut très joyeuse. Tout juste si, une seule fois, Mathilde trouva Pauline en pleurs à la cuisine.

— Grand-mère ! Si tu ne tiens pas le coup, je m'effondre.

— Je n'en ai que pour une seconde, dit Pauline en s'essuyant vigoureusement les yeux avec un torchon. C'est la présence de Letellier : j'ai envie de détester cet homme charmant qui est ici parce que ta mère...

— Je sais. Moi aussi. C'est très injuste.

— Parfaitement ! As-tu remarqué la couleur de sa cravate ? du marron avec un costume bleu marine : c'est monstrueux !

— Et sa chemise : blanche, à fines rayures vertes !

Elles éclatèrent de rire.

— Nous sommes immondes !

— Quel délice !

Paul arrivant avec une pile d'assiettes sales les trouva riant aux larmes et ne comprit pas bien.

Au début du printemps, Delphine sentit qu'elle s'affaiblissait. Elle eut des étourdissements et des accès de fatigue insurmontable.

137

— Ça commence ? demanda-t-elle à Letellier qui n'essaya pas de soutenir son regard.

— Je crois qu'il est temps que vous arrêtiez de travailler.

Il rédigea les papiers nécessaires.

Elle rentra chez elle, fit le tour de sa maison : Je suis encore libre de mes mouvements, mais bientôt je n'aurai plus la force de sortir, et puis je cesserai de me lever. Mon domaine va se rétrécir : la chambre, mon lit, un moment viendra où le seul espace qui me restera sera mon propre corps et ce que mon regard pourra capter. Je dois régler avec soin l'appareil du départ. Elle regarda attentivement : le salon repeint l'été précédent était toujours bien blanc, mais dans sa chambre les voilages lui semblèrent ternis, elle entreprit de les dépendre, ce qui la laissa haletante. Après quoi elle téléphona à l'entreprise de nettoyage qui s'occuperait des tapis et à l'artisan qui regarnirait les fauteuils. Puis elle examina le contenu de ses armoires : Il me faudra des robes d'intérieur, et plus tard, quand je ne pourrai plus me lever, de quoi être bien mise tout en restant au lit. Je maigrirai et j'aurai mauvais teint : je pense que cela demande des couleurs douces et des tissus un peu épais qui ne marquent pas trop les formes comme la flanelle, et qu'appelait-on du pilou ?

Ainsi organisa-t-elle son décor.

— Il me semble qu'on meurt toujours à l'improviste. C'est du bâclé, on n'a rien prévu, il faut parer au plus pressé, dit-elle à Letellier. Il se fait que je suis prévenue : autant en profiter. J'ai comme tout le monde vécu à grande vitesse, courant d'une chose à l'autre, dès qu'on quitte l'enfance on se dépêche. Voilà que j'ai du temps devant moi et que je n'ai plus qu'une tâche : je veux m'y consacrer.

Il frissonna.

— Vous êtes un peu effrayante, dit-il.

— De tous les animaux, nous sommes les seuls à avoir le désagréable privilège de connaître que nous mourrons. Si j'étais chrétienne au siècle passé, vous trouveriez tout naturel que je veuille mettre mon âme en ordre, et le moment venu, vous appelleriez le curé. Je ne crois pas en Dieu : je n'en meurs pas moins et pourquoi me priverais-je de l'apparat qu'on peut y mettre ? Je ne veux pas faire semblant que je ne sais pas ce qui se passe, regarder ailleurs et être rattrapée par surprise.

Alors elle lui parla de la Sardaigne :

— C'était peut-être un pressentiment. Les choses étaient déjà décidées dans mon corps. Je me suis mise à penser à moi comme je ne l'avais jamais fait et cela m'a plu. Je considérais ma vie, je tentais de me voir du dehors et du dedans à la fois, ce qui semble assez présomptueux. J'essayais de me faire une opinion sur moi-même : je ne pense pas que j'y sois arrivée, mais je trouve la tentative honorable.

On se contente toujours des opinions des autres ou du dénombrement de ses défauts, ce qui ne mène pas très loin dans la connaissance de soi. J'ai été interrompue par deux jeunes hommes préoccupés de leur sexe, dont je dois reconnaître que cela était en rapport avec leur situation, sinon avec la mienne. Je suis partie furieuse. A-t-on vraiment de tels pressentiments ?

— J'ai déjà vu des testaments trois mois avant un infarctus que rien n'annonçait. Je n'appelle pas cela pressentiment : quelque chose se passe dans le corps, qui donne des informations, et le cerveau les décode comme il peut, souvent tout à fait de travers. Une personne raisonnable et pondérée devient hypocondriaque, traduit une colique en cancer et fait une embolie cérébrale.

— C'est étrange, dit Delphine, ce corps qui nous régit et ne nous parle pas...

Ils étaient chez elle, dans le grand salon où elle n'avait allumé qu'une lampe. Dans la cheminée, le feu était bas, Letellier se leva, remit une bûche, la regarda s'embraser.

— On l'a rendu plus bavard qu'il n'était, c'est encore trop peu. Et puis il faut écouter. Si, l'année dernière, le hasard avait voulu que je regarde vos poumons, vous auriez pu être opérée.

— Je me portais trop bien. Mais n'aurais-je pas recommencé ailleurs ?

140

— On ne peut pas savoir.

Il était tard. Il se rassit, la regarda longuement, hocha la tête :

— Etes-vous vraiment si calme !

— Peut-être pas, dit-elle, je crois qu'il y a de l'orage, mais encore très lointain. Je vois parfois la lueur d'un éclair, je n'entends pas le tonnerre. Je guette. Tout au plus si j'ai de brefs moments de tristesse : je ne suis pas nerveuse.

— Vous me mettez dans une situation dont je n'ai pas l'habitude. Je suis médecin, c'est-à-dire que je suis formé à intervenir, je dois accomplir des actes médicaux, ordonner des examens, prescrire et puis passer à autre chose, voilà que j'embrouille tout et viens en voisin. Normalement, je m'attache à faire vivre les gens le plus longtemps et le plus confortablement possible. Mon ministère est la dénégation de la mort, et je devrais vous fuir puisqu'auprès de vous je ne peux pas l'exercer. Mais je reste. Pire, je reviens. Je crois que vous me pervertissez.

— Ah ! les jeunes gens de Sardaigne n'étaient pas pervers !

— Ce n'était pas de leur âge. C'est quand les feux s'apaisent qu'on vient à préférer les plaisirs de l'esprit au rapide soulagement du corps.

— Nous sommes des quinquagénaires, dit-elle, aussi horrible que soit le mot. A quinze ans, on galope sa vie.

141

La présence de Letellier la détendait toujours, alors que Mathilde et Paul la laissaient un peu tremblante. Elle s'étira, soupira :

— Je ne suis bien qu'avec vous. J'ai presque peur de voir les enfants. Ils m'en veulent. Ils n'en montrent rien et je ne sais pas pourquoi j'en suis si sûre : ils sont furieux et vous ne l'êtes pas. Vous me laissez le droit de vivre à mon gré, même si cela comporte de me préparer à mourir. Mathilde a regardé avec agacement les ouvriers qui avaient envahi l'étage et Paul a fait semblant de ne rien remarquer. Vous m'assistez. J'ai l'impression qu'ils me reprochent de manquer à ma tâche.

— Et c'est probablement ce qu'ils font, même s'ils n'en savent rien. Je crois que les enfants ne considèrent jamais que la tâche des parents est achevée. J'ai vu un très vieil homme s'emporter parce que sa mère avait mal beurré sa tartine, elle était morte quand il était adolescent et il avait retrouvé sa voix d'enfant alors qu'il chevrotait depuis vingt ans. Il est mort de vieillesse en ronchonnant sur une jeune infirmière qui lui répondait : Oui, oui, mon tout petit, je vais arranger ça.

— C'est fatigant. Je veux penser à moi.

— N'attendez pas d'eux qu'ils vous en donnent la permission. Il y a des choses que l'on ne peut faire que de sa propre autorité.

— Vous devez avoir raison. Sans doute y a-t-il de

la paresse ou de la lâcheté à toujours chercher des autorisations. En fin de compte, il me semble que j'ai été une personne docile, mais les circonstances m'ont mise depuis longtemps en position de n'avoir plus à me soumettre qu'à la raison.

— Il est temps que vous alliez dormir, dit-il gaiement, et ne lisez pas au lit, il vous faut du sommeil. Il va être minuit, mon temps de liberté s'achève.

— Et si vous mettiez sur votre répondeur « Quatre aspirines et une bouillotte » ?

— Je me ferais rayer de l'Ordre et j'aurais pour remplaçant un débutant qui vous mentirait car vous lui feriez peur.

Delphine l'accompagna jusqu'à la porte. Là, il s'arrêta, la regarda longuement. Elle lui sourit.

— Je trouve que vous êtes très beau, dit-elle.

Il lui caressa la joue du bout des doigts.

— Je vous crois. Vous me transformez, et dans le mouvement, je ne serais pas étonné de devenir beau.

— Tout vient trop tard, n'est-ce pas ?

— Non. Avant vous, je n'aurais su qu'en faire. Ou bien, jeune, je m'en serais servi pour avoir plus de femmes et plus vite.

— Et maintenant ?

— Je ne sais pas très bien. Pour vous ressembler ?

Elle lui rendit sa caresse et ils se séparèrent.

Dès que Letellier était seul, il lui redevenait

difficile de se comprendre. Qu'est-ce que je fais au-près de cette femme ? Je suis médecin et l'ennemi intime de la mort, dont elle est habitée, et je ne la lui dispute pas. Chaque fois qu'il la quittait, il se demandait quel était le sens de ce bizarre amour – dont il n'était même pas sûr que ce fût un amour. Que voulait-il, de cette intouchable ? Depuis trente ans, je joue à guérir. A long terme, je perds tou-jours. Il espérait confusément, s'il tirait au clair ce qui le poussait vers Delphine, qu'il en serait dé-livré : mais il suffisait d'attendre ? Obligé, par la désapprobation où il se tenait, de pratiquer une introspection qui n'était pas dans son mouvement naturel, il était effrayé de se rendre compte qu'il n'était pas porté par le désir qu'elle l'aimât. Il avan-çait à ses côtés sur une route qui lui serait bientôt barrée : elle continuerait, il la regarderait sans la suivre. Il ne voulait pas manquer un seul pas.

Elle ne fait jamais que me précéder, se dit-il. Il se demanda comment, plus tard, il penserait à ces moments-ci. Sans doute je n'y penserai pas, je rede-viendrai pressé, prosaïque et ennuyeux, je mangerai mon dîner réchauffé en lisant deux articles à la fois pour ne pas accumuler trop de retard et je serai réveillé à deux heures du matin par un hypocon-driaque à bout de nerfs. L'une ou l'autre fois, une émotion me traversera, le son à demi oublié d'une voix, le mouvement, non, la trace du mouvement si particulier de sa main quand elle montait vers ma joue, je resterai une seconde en suspens et puis le flot régulier de la routine me réentraînera, de compote en aspirine, vers mon propre délai et, tel que je me devine, je ne me donnerai pas le loisir de me regarder achever lentement mes jours, en pensant à moi-même, avec dignité, gagnant ma propre estime par l'examen attentif de ce que j'aurai été, mais je tomberai d'un coup, entre deux consultations, roide mort avant d'avoir atteint le sol, comme un homme qui aurait toujours été si peu capable de s'arrêter qu'il doit expirer en plein vol.

Il sentait bien qu'il vivait quelque chose d'absurde et en était émerveillé : Quoi! moi aussi j'y parviens? les sentiments gratuits, les gestes inutiles, une conduite inconsidérée, un coup dans l'eau, ne pas voir plus loin que le bout de son nez, agir avant de réfléchir? J'en suis capable? Je peux faire autre chose que raisonner sur des symptômes, interpréter correctement une liste de résultats? Simplement, je n'en aurais pas pris le temps avant cette femme? L'idée qu'il s'était toujours trompé sur lui-même ne lui déplut pas : je ne me doutais pas que j'avais une âme, se dit-il.

Delphine ne se coucha pas tout de suite. Elle était agacée par son calme : est-ce que je triche? Quand je dis que j'écoute, peut-être que je mens et que je m'assourdis? Sa chambre sentait la peinture fraîche, elle ouvrit les fenêtres, vit que la nuit était tranquille et n'en fut pas apaisée. Elle se démaquilla, s'assura qu'elle était toujours belle et trouva ridicule de s'en inquiéter. Jeune, elle avait aspiré à devenir jolie en croyant que c'était pour être aimée et n'avoir pas, quand elle tomberait amoureuse, la douleur de ne pas plaire. Qu'ai-je à en faire aujourd'hui ? pensa-t-elle, en sentant bien qu'elle était contente de ce qu'elle voyait dans le miroir. Mon cadavre m'habite, il copie tous mes gestes, il fait semblant de vivre et il attend son heure. Je lui obéis, je consomme le temps, je serai bientôt à court, haletant sur un lit, traversant trop vite mes dernières secondes. Elle eut un mouvement d'impatience, jeta le morceau d'ouate, déposa brutalement le pot de crème et se leva pour se retrouver désemparée au milieu de sa chambre, sentant bien qu'elle prenait son élan, mais où allait-elle ? Elle bouillonnait de nervosité et comprit tout à coup qu'elle était enragée : je n'ai plus rien à faire, plus de projets, ma vie est bouclée comme un dossier à classer, la page est bonne à tourner, la pièce est finie, on tire le rideau et la salle se vide, mais je n'étais pas prête, moi ! J'avais cent ans devant moi, de quoi remplir deux vies, je devais voir les enfants de mes enfants, j'avais encore à réfléchir, à inventer, on va écrire un livre que je ne lirai pas et, stupide, j'en relisais d'anciens ! Calme ? Anesthésiée, oui ! Elle fut prise

d'une douleur si violente qu'elle confondit tout et
pensa que cela faisait quand même mal, regarda
affolée autour d'elle, avait-elle des analgésiques ? et
comprit qu'ils n'y pourraient rien car il ne s'agissait
pas de ce corps attaqué qui se défaisait en silence,
mais que tout à coup l'opacité qui avait régné en
elle cessait, que la nouvelle de sa mort avait voyagé
si lentement dans les terres intérieures qu'elle venait
seulement d'atteindre un lieu qu'elle ne savait
comment nommer, d'où jaillissait un cri d'horreur,
une foule épouvantée apprenait son destin, regardait les murs s'effondrer dans le désordre affreux
des catastrophes, la terre s'ouvrir et la lave en feu
déferler, brûlant tout sur son passage. Delphine
gémissante vacille, et je suis presque soulagée de la
voir enfin trembler, son calme avait quelque chose
de fou qui m'effrayait sourdement. Mais c'est
moi ! pensa-t-elle, c'est moi, ce temps qui se réduit,
cette ombre qui s'approche, c'est moi, c'est ma vie
qui s'achève. Je voulais retourner aux Offices, je ne
suis pas allée au Mexique, je serai morte avant le
prochain Bayreuth et je n'aurai plus jamais la force
de marcher contre le vent sur la plage, d'Ostende à
Mariakerke, en écoutant les coquillages craquer
sous mes pas. Je formais des renoncements de luxe,
je n'allais plus gémir sous un homme, je ne me serais pas teint les cheveux et j'aurais accueilli la vieillesse avec grâce : je meurs. Je suis volée. Voilà

l'élan que je vais prendre, voilà où cette impatience qui me taraudait m'emporte. Il ne me reste que cela à faire, et j'y courais, pressée comme toujours de bien remplir mes tâches, élève ordonnée, comme à douze ans, quand je faisais vite mes devoirs car je n'étais à l'aise pour jouer que si tout était prêt. Il n'y aura plus de jeux. Elle fut assaillie par le souvenir des plaisirs qui passa sur elle comme un envol d'oiseaux, bruyant et rapide, régi par un ordre secret, elle reconnut, tremblante, l'eau sur la peau brûlée par le soleil, la première gorgée après la promenade, le regard attentif d'un amant, la glissade silencieuse sur la neige, le lent ressac qui suit l'amour, les odeurs, le toucher, un bruissement de sensations que son corps n'éprouverait plus, qui ne seraient que traces, mémoire, sillage incertain, elle dénombra les trésors perdus et sentit sa vie comme un mirage. Tout ce qu'elle avait été se dissiperait, l'émotion que donne un paysage, la silhouette à peine dessinée des arbres dénudés dans le brouillard, en automne, lorsque les premiers froids figent la nature, le regret aigu de ne pas savoir peindre quand la mer et le ciel se confondent à l'horizon et qu'il faudrait pouvoir fixer ce que nul ne verra jamais avec mes yeux car la couleur de l'eau et des nuages n'est rien, c'est mon histoire, les mille fois où j'ai vu cela, les humeurs multiples où la beauté m'a saisie, ce qu'elle a fait changer en moi, c'est

148

cela qui est unique, c'est ma façon d'être touchée
qui est irremplaçable et que je n'ai pas su trans-
mettre, ma mort c'est ma façon de sentir qui disparaît avec moi, définitivement, on croit toujours
qu'on a le temps, on fera cela quand on sera vieux,
quand il ne restera rien d'autre, on apprendra à
peindre ou à écrire pour laisser la trace de ce que
l'on a été seul à connaître, mais il sera trop tard, il
est déjà trop tard et Delphine enfin blessée sanglote,
tout à l'heure elle a touché pour la dernière fois une
joue d'homme, elle a senti sous ses doigts le poil
râpeux du soir, et mes doigts seront glacés, mes
nerfs ne porteront plus de messages, on posera
peut-être un baiser sur mon front, mais je n'y serai
pas. Absente? Disparue? Comment nommer cela,
qu'est-ce donc de ne plus être là, qu'est-ce que le
monde hors de moi le recevant? On conçoit que
l'on existe : mais que l'on n'existe pas? Il lui sembla, un dixième de seconde, être sur le point de
pouvoir penser cela, elle recula devant la certitude
absolue que si l'on peut vraiment penser la mort on
en est tué à l'instant même. Ce sera pour la
dernière seconde, se dit-elle, la curiosité ultime, le
regard sur la Gorgone, je me donnerai le luxe de
regarder en face ce qui me tue et j'aurai tout vu,
mais seulement au moment où je n'aurai plus le
choix, lorsque, conçue ou pas, la mort m'emportera
dans le royaume où elle régit la non-existence et où

nous serons tellement nombreux à ne pas savoir que nous ne savons pas, assujettis à l'inconcevable, serviteurs de rien. Je.

Elle ne dormit pas. Elle regarda cheminer la vérité qui saccageait tout. Cette rage d'accomplir mes devoirs, noble fille qui ne recule pas devant les larmes de sa mère, blessée de ne pouvoir affronter Paul : distraction, divertissement. Tout ce qui détourne l'homme de contempler sa mort est amusement et dérobade. J'y aurai mis près de six mois, je ne suis pas rapide, se disait-elle et pensait que sans doute on ferait n'importe quoi, surtout se tromper sur ses motifs, pour s'en écarter. Elle passait ses façons d'être en revue, revoyait Letellier s'étonner qu'elle se souciât de lui et non de soi, comment elle avait guetté Mathilde en lui parlant, son air de calme pendant la promenade avec Pauline et comprit que tout cela n'avait été que façade, décor dressé sans qu'elle en fût avertie par une peur dont elle ne sentait rien tant le travail en était efficace. J'étais étonnée de ne pas m'émouvoir : je mentais. Je suis une menteuse qui ne ment jamais qu'à soi et si savamment qu'elle y croit. Mais quelle tristesse ! on parle du passé, on parle de l'avenir, on n'a jamais rien en main, pas même sa vérité. Je crie. Il était temps : je crie enfin. Pourquoi dit-on qu'il faut se résigner et que l'on meurt toujours ? Je ne veux pas me résigner. Ce calme où j'étais me fait horreur. Je ne mourrai pas noblement, je crierai de désespoir jusqu'au bout, j'aurai des sueurs d'angoisse, je m'accrocherai comme une folle et je chercherai jusqu'à la dernière seconde à retenir ma pensée qui s'enfuit. Je ne veux pas que les mots s'arrêtent en moi. Que m'importe de vieillir, le temps pouvait labourer mon visage, je pouvais devenir laide et voir les veines gonfler sur le dos de mes mains, mes cheveux grisonner et mon dos fatigué ne plus se redresser.

Delphine Maubert pleure et je pleure avec elle, car je ne sais plus ce qui est d'elle et de moi, je ne veux pas qu'un jour sur la feuille à demi écrite ma main se desserre et lâche son emprise sur la plume, je jure de ne pas me résigner et si je dois mourir, s'il est vrai qu'on n'y échappe pas, ce sera dans la colère, la fureur me soutiendra au-delà du temps prescrit et mon dernier souffle servira à maudire ce qui me vainc. Vieille, cassée, épuisée, je n'aurai plus d'autre ennemi que la mort, mais j'ai toujours aimé haïr et me battre, ce n'est pas la défaite qui m'arrêtera. Je ne me tairai qu'en ayant tout perdu, les reins bouchés, les poumons affaissés, les artères vidées de leur sang, et je tirerai encore quelques lettres de mes doigts raidis, sans souffle je parlerai encore et mon cœur sera déjà arrêté que de mon esprit une idée jaillira, la plus belle de toutes, l'idée que j'ai pourchassée toute ma vie, elle mettra sur mon visage de mourante un sourire émerveillé, une idée si splendide qu'elle changera le monde, ceux qui la recevraient en seraient transfigurés, une tempête de joie me traversera, je serai illuminée de bonheur car j'aurai enfin rempli ma tâche et donné à l'humanité dont je suis issue ce qu'elle attendait de soi, les quelques mots qui lui révéleront son sens. Je n'aurai plus la force de les prononcer, mais ils me rattacheront et je connaîtrai, dans cet instant ultime, qu'on m'a toujours menti et que nous sommes immortels. Je serai une explosion de joie, l'univers en expansion pour l'éternité, je me dilaterai indéfiniment et il n'y aura plus jamais de silence, plus de mort, cette pensée admirable aura raison du temps vaincu par moi qui serai inaltérablement en train de la penser. Delphine, cette nuit, ne consent pas à ce qui la ronge et je vais la soutenir de toutes mes forces. Avec la volonté, ne vient-on pas à bout de tout ? Quand nous étions petits, on nous disait : Qui veut peut, mais sans doute ne s'agissait-il que de futilités et ceux-là mêmes qui nous fourraient ces mots dedans n'y croyaient pas. Delphine écoute son souffle et pense à ces cellules, dans la nuit de son corps, qui sont devenues folles, habitées par on ne sait quoi qui les égare, elle veut une à une les guérir, les ramener à l'ordre, à la marche ordinaire de la vie, elle ne se souvient pas bien de ce que Letellier lui a expliqué car elle ne connaît pas ces domaines-là du savoir, mais sait qu'il s'agit de désordre, d'anarchie et de crimes injustifiés. Moi qui suis une femme de raison, se dit-elle, je dois pouvoir venir à bout de l'erreur. On divise la difficulté en ses parties, c'est ma devise, et on les résout l'une après l'autre. Une cellule, juste une à la fois, c'est si peu de chose, un poids si léger : par le pouvoir de ma volonté je la détache des autres, je l'isole et je la chasse. Elle sera reprise par le courant sanguin, détruite par les globules blancs qui sont les gardiens de la loi, éliminée par mes reins qui fonctionnent comme il sied. Il y en a peut-être des milliers, je serai patiente, j'en viendrai à bout. Elle rêve ou elle délire, tue ce qui la tue, reprend le gouvernement du seul royaume où il est légitime d'exercer un pouvoir absolu, soi-même, l'empire intérieur dont elle veut redevenir la maîtresse, mais on règne plus aisément, semble-t-il, sur des continents entiers que sur ses poumons, son cœur et ses entrailles, seuls biens incontestables et qui échappent à toute maîtrise. Elle se bat, mais où est l'adversaire? Où frapper? Que peut-on contre soi? Pendant ma vie je me suis inventé des ennemis, j'ai dit du mal des uns, assuré que les autres me détestaient, et cela, aujourd'hui j'en suis sûre, le plus injustement du monde. Il faut bien que l'on se divertisse de la vérité, que l'on regarde ailleurs, là où la lumière est moins forte et ne brûle pas les yeux. Je n'ai jamais eu d'autres ennemis que le temps et sa complice, la mort. Ah! les hommes et les femmes dont je me suis plainte : ils me faisaient souffrir, peut-être me battaient-ils, j'avais des bleus partout et l'âme ensanglantée, je pleurais, je trépignais, jurais de me venger et n'y arrivais sans doute pas. Ah! les coups échangés, la colère, probablement pas le pardon qui n'est pas dans mon caractère : mais au moins le combat se poursuit. Parfois l'adversaire se rend et on en invente un autre, le tout est de ne pas se rappeler qu'un jour la bataille s'arrête. Cher ami, compagnon de toujours, escorte fidèle, mon cadavre m'habite, il a ma forme et il change avec moi, avant il avait un joli teint, le cheveu bien dru, mais il a vieilli comme moi, ses articulations se sont roidies, il lui est venu des tavelures sur les mains, des rides et ces défauts secrets que je cache avec soin et que peut-être les femmes qui feront ma toilette mortuaire verront, si elles ne sont pas trop occupées par leur conversation. Delphine pense que son seul ennemi sérieux était dissimulé dans ses cellules et cheminait à son gré, et moi, pendant que je m'agitais à vivre, à défendre mes droits, discourant sur les choses, argumentant, sûre d'avoir raison, à chaque instant persuadée que je viens de comprendre ce qui était évident depuis toujours, et comment peut-on être aussi lente? impatiente, ma pensée ne va jamais assez vite pour ma gour-

mandise, j'imaginais des adversaires, je leur disais :
Venez! battons-nous! et ils m'accueillaient, trop
heureux que mon invitation les détournât comme
elle me détournait. Nous nous battions sauvagement – ou bien nous nous aimions? je ne sais plus
trop quelle est la différence, étroitement enlacés,
pris dans le jeu des passions, la sueur au front,
enfiévrés, enflammés, ne sachant plus toujours ce
qui nous portait, crispant nos muscles, pendant
qu'en chacun de nous le cadavre s'affermissait, que
l'ivoire des os s'affinait et que s'apprêtait le sourire
définitif des maxillaires dénudés.

Delphine qui n'est pas une femme sauvage
pleure plus doucement, ce ne sont plus les sanglots
qui font mal, elle s'apaise trop vite, je ne veux pas
qu'elle se résigne. Son cadavre croît en elle et voilà
qu'elle se laisse séduire par ce que l'on nomme le
bon sens et qui n'est jamais que recul timoré devant
la réalité. On finit toujours par haleter sur un lit.
Perd-on enfin l'impatience, cette hâte qui nous aura
portés à travers les jours s'apaise-t-elle et sait-on se
calmer pour mourir lentement? Serai-je comme
elle ou comme Letellier se prévoit? Je suis bien
capable de faire ça à la sauvette, vite, entre deux
gestes mais le second n'aura pas lieu, en femme qui
a toujours plus de projets qu'il ne faut, bousculée
par ma voracité, il faut encore écrire cette page,
finir ce jeu, écouter cette confidence dite avec tant

de difficulté, un mot à la fois, et entendre la pensée qui m'a traversé l'esprit un peu trop vite, je dois la rattraper puisque je sais bien que ce sont les plus furtives que je préfère.

Le jour se lève, très pâle, sur Delphine qui pense à sa vie : Je n'ai pas toujours su ce que je faisais, ni ce que je pensais et je crois que les meilleures résolutions du monde n'y pourront rien : cela continuera. Quel faible pouvoir nous avons sur nous-mêmes ! Je vois que lorsque je n'ose pas regarder en face ce qui m'arrive, je m'active à me soucier des autres. Ma foi, cela est respectable : il y a de l'hypocrisie, mais elle me fait du bien et ne nuit à personne. Si je m'en plains à Letellier il se moquera de moi, il est partial comme un amant et rien n'ébranlera sa décision de m'aimer. C'est un homme bon à estimer, je veux me fier à son jugement : je dois donc penser que je suis bonne à aimer. Quels que soient mes défauts, je n'aurai pas le temps de m'amender, il faut m'endurer telle que je suis.

Elle entendit fort bien le petit rire qui rôdait : Quoi ? déjà ? hier soir je criais et je tremblais ! Décidément, je n'ai pas la tragédie durable !

Elle passa la journée à ranger et fut surprise de trouver, au fond d'un placard, les lettres d'Henri, mal ficelées dans du gros papier d'emballage. Elle aurait imaginé plus de ferveur : on voyait bien que cela avait été entassé n'importe comment, rien n'était classé, les feuillets étaient pliés de travers et une des enveloppes n'était même pas ouverte. Intriguée, elle examina le cachet de la poste : la lettre était arrivée au lendemain de l'accident, elle avait été postée à l'aéroport. Je ne l'ai pas lue ? Et je ne le savais plus ? Elle faillit l'ouvrir et fut traversée par quelque chose d'étrange, ce genre de sensations pour lesquelles il n'y a pas de mots – une rumeur d'inquiétude ? le parfum de la peur ? – qui l'arrêta. Je ne dirais pas qu'elle se revit quinze ans auparavant, reconnaissant l'écriture et rejetant furieusement l'enveloppe, mais elle eut un sourd mouvement d'horreur, l'idée qu'une main de noyé se tendait vers elle, déjà gonflée par la putréfaction, cette lettre jamais lue résonna en elle comme un appel malveillant, elle pensa aux morts dont on dit qu'ils gémissent tant qu'ils n'ont pas une sépulture chrétienne, aux sorcières, aux vampires mangeurs de vie, se moqua d'elle-même et n'ouvrit pas. Je ne veux plus me renier, se dit-elle, cette lettre m'a fait peur, et dans le temps même où elle me faisait peur je savais qu'elle ne contenait, bien sûr ! que des paroles d'amour et des projets de bonheur. J'ai probablement eu raison de ne pas me forcer, je crois que j'étais furieuse contre Henri, il n'avait qu'à aller dans un autre avion.

Cette pensée la plongea dans la stupéfaction.

157

Furieuse ? Voyons ! elle était triste, elle avait perdu son amant, il faudrait réinventer sa vie, ses enfants pleuraient. Mais : furieuse ? Elle relut tout sauf la dernière lettre, et resta longtemps les yeux dans le vague, cherchant l'amour égaré. Nous passons, laissant un sillage qui s'efface, et bientôt nous ne nous souvenons pas de nous-mêmes. Le soir, elle attendit Letellier avec impatience.

— Asseyez-vous, il y a une bouteille de votre whisky préféré, mais ne vous saoulez que lentement, je crois que j'en ai pour des heures. J'apprends des choses incroyables sur moi. Je ne suis pas celle que je croyais. J'ai reçu des lettres qui me parlent d'événements dont je ne sais plus rien et il m'est venu un souvenir. J'avais douze ans, j'étais sous la douche et j'ai pensé que je voulais ne jamais oublier cet instant. Je ne peux pas dire si j'ai tenu parole car, de ce moment, je ne sais plus que le projet de ne pas l'oublier. S'était-il passé quelque chose qui me paraissait important ? Avais-je franchi, comme on l'éprouve à cet âge, une étape décisive ? J'ai regardé autour de moi, cela est sûr, mais quoi ? la baignoire ? le rideau de douche ou moi-même ? Il ne me reste que la certitude d'avoir regardé attentivement et le souvenir d'une promesse. Ai-je oublié ou pas ? Devais-je seulement me souvenir que j'existais ? Qu'est-ce que la mémoire ? Dans dix ans, que saurez-vous de moi ? Déjà, je n'en sais plus la moitié...

Il lui tendit un verre de gin et le jus de citron.

— Et cependant, je reste le centre de l'univers : c'est un centre troué, mais je n'ai pas d'autre point de vue pour penser au monde ou à moi. Parfois, je suis mélancolique, je trouve absurde de s'être donné la peine de vivre, minute après minute, ce qu'on aura si vite perdu : et puis quelque chose m'amuse et j'oublie que j'oublie. Nous autres, l'humanité, nous sommes bien inconséquents.

— Quand vous vous mettez ainsi au pluriel, c'est l'accord de nombre qui me trouble.

— On s'agite, on s'agite. Cette montagne de souffrance qu'on retient : il me semble que je ne me suis jamais écoutée crier. J'essaie, et je m'étonne que ce soit si difficile : j'ai été éduquée, comme tout le monde, à refréner mes mauvais penchants, parmi lesquels on range toujours les sentiments excessifs, injustes ou égoïstes. Vous vous étonniez que je me soucie de vous et non de moi le soir où nous nous sommes saoulés ensemble pour endurer l'annonce de ma mort : j'étais le produit réussi d'une éducation normale, qui nous enseigne l'altruisme et les bonnes manières, sans toujours bien différencier l'un des autres. Je le suis toujours, d'ailleurs, voyez avec quelle pondération je vous parle du cri et de la souffrance, je n'y fais pas de fautes de grammaire, même si vous discutez l'accord de nombre. Cependant je commence à deviner des choses. Il y a dans

159

mon esprit des régions entières qui sont fermées, barricadées, on ne peut pas s'en approcher. Je nomme cela oubli et je dis que c'est bien triste, que lorsqu'on perd sa mémoire on perd déjà la vie, que l'on commence à mourir bien avant le cancer et que je voudrais me souvenir plus clairement d'un tableau de Fantin-Latour qui m'est à moitié sorti de la tête. Et puis, j'ai des soupçons. Dans ma douche, j'ai l'air bien innocente, une enfant confiante et trahie plus tard par les synapses. Ça ne passe plus, c'est bouché, mais tout à l'heure en rangeant il m'est revenu quelque chose de beaucoup plus récent et dont je ne savais rien : quinze jours après la mort d'Henri je me suis fait draguer et j'ai couché avec un inconnu dans un hôtel de passe. Cela m'a été restitué très classiquement par une petite odeur de renfermé qui traînait au fond d'un placard et le passage d'une impression indéfinissable où il entrait du malaise. J'ai eu le temps de m'entendre me dire : N'y pense pas ! de sorte que j'ai fait comme recommandent les bons auteurs, j'y ai pensé et je me suis retrouvée devant un événement si bien oublié que j'aurais juré, une minute plus tôt, qu'il n'avait jamais eu lieu. C'était un soir où j'étais sortie de chez moi sans savoir où j'allais, je ne me souviens pas de l'état de mon âme, mais que je conduisais mal et en grognant. J'ai garé la voiture en ville et traîné devant les vitrines, préci-

sément les joailleries. Me reconnaissez-vous là ? Je
n'ai aucun idée de ce à quoi ressemblait le monsieur et tout juste des hypothèses plausibles sur ce
que nous avons fait ensemble, mais il y avait un
papier à tapisser rose saumon avec des fleurs
bleues, j'en mettrais ma main au feu. Qu'ai-je encore à retrouver ? L'odeur de renfermé était celle
des taies d'oreillers. Je ne suis pas choquée par ma
conduite, même si les comportements humains ne
sont pas dans ma spécialité il me semble que celui-
là est à ranger parmi les réactions banales, avec les
fous rires aux repas d'enterrement. Mais je suis
outragée par ma pusillanimité : si je l'ai fait, je devais avoir mes raisons, il ne me plaît pas de voir
qu'ensuite je me suis reniée.

— Vous ne seriez pas un peu idéaliste ?

— Enragée ! On a droit à soi, tout de même !

— Ma chère âme, il faut vous instruire. Savez-
vous que toute une science s'est développée à ce
sujet, depuis la fin du siècle passé ?

— Je mets des informations dans un ordinateur, il
les conserve et me les répète quand je les demande.

— Si vous avez le code : une petite odeur de renfermé peut faire l'affaire, vous l'avez vu.

— Ce n'est pas sérieux. Supposez que je n'aie
pas ouvert ce placard ?

Mais elle l'ouvrait de temps à autre, car on y rangeait les sacs de voyage et la réserve de couvertures.

C'est donc qu'elle avait été d'humeur à recevoir la petite odeur?

— Je le crois, dit-elle. Je suis avide de moi-même. Je veux disposer˙ de toute mon histoire et je découvre que je m'en suis volé des morceaux. Il m'est arrivé des choses qui ont disparu de mon esprit. Tenez, j'ai trouvé, dans ces fameuses lettres, qu'au moment de mon mariage je suis allée rendre visite à mes cousins de Modave, avec Henri. Ce sont les gens les plus ennuyeux du monde, j'ai sans doute fait cela par amour pour ma mère, il reste que cette visite m'appartient et que je ne peux pas la retrouver. L'homme au papier à tapisser rose, et eux : c'est trop. Je suis indignée.

Mais elle riait, Letellier sentait un déchirement exquis le traverser et, comme chaque fois : Sans la mort l'aurais-je aimée? Il savait bien que rien ne le destinait à être amoureux et qu'il avait toujours confondu les élans du cœur avec ceux des sens. Le mouvement qui anime Frédéric Moreau, le jeune Vandenesse et Fabrice del Dongo l'avait, jadis, laissé perplexe : voilà qu'il revenait sans cesse dans la grande maison blanche. Les articles de médecine dont il nourrissait son esprit depuis trente ans ne décrivent, du cœur, que l'infarctus. Le souffle qui se suspend, le battement qui se précipite ne lui parlaient que des troubles de la tension artérielle ou du système neurovégétatif. Mais : aimer? L'amour? ce n'est pas un mot, c'est un fourre-tout! Ou s'il faut se désencombrer du désir? Il cherchait honnête-ment et laborieusement à s'y retrouver et quand elle éclatait de rire en disant qu'elle était indignée, il y avait en lui un mélange de navrement et de plaisir aigu qui le laissait désemparé et affamé d'il ne savait trop quoi. C'était sans doute cela que j'obturais jadis, je ne sais plus quand, avec des femmes dont j'ai tout oublié, à peine si je me sou-viens de moi, de la hâte, de cette course au silence que je nommais faire l'amour, de cette espèce d'aspiration sans cesse croissante, dont je cherchais, et j'y parvenais fort bien, à me défaire.

— C'est de la voracité, dit-elle. Je suis tout à coup toxicomane de moi-même. Je me veux. Je suis à moi-même comme ces gens dont on dit qu'ils tirent leur charme de leur perpétuelle dérobade. J'échappe à ma propre emprise et cela m'exaspère.

Il fronça les sourcils :

— Je n'ai jamais été curieux de moi-même. Je crois que cela m'aurait semblé quasiment trop facile à contenter.

— Hé! moi aussi! et je suis bien surprise. On croirait qu'on a tout sous la main, n'est-ce pas? on ne fait pas attention, on regarde ailleurs et pendant ce temps-là, on perd les choses, on égare tout, où est ma jeunesse? où sont mes amours? où est mon parapluie? on se perd comme on perd son parapluie, j'en ai perdu cent. J'ai perdu un homme qui ne se souvient pas de moi. La lumière d'étoiles éteintes depuis des millénaires nous arrive, une de mes nuits a eu lieu, elle n'est nulle part et rien ne peut la ramener.

Elle sentit monter un sanglot et se tut, si habituée à la pudeur qu'elle ne s'en aperçut pas tout de suite. Letellier la vit baisser les paupières, se reprendre.

— Ce doit être ainsi que l'on fait, dit-il, on se détourne par décence.

— Sans doute, et je n'aurai pas le temps de former d'autres réactions. Comme je vois les choses, je mourrai poliment. Ai-je des somnifères ? Cette nuit, je veux dormir.

# 6

## *Lacrymosa*

En avril, Letellier demanda à Paul qu'il logeât chez sa mère.

— Elle décline plus vite que je ne m'y attendais. Je ne veux pas qu'elle soit seule, la nuit.

— Mais me voir arriver avec mes cours, armes et bagages, va l'inquiéter?

— Non. Elle sait.

— Je ne la connais pas, dit Paul à Mathilde, je suppose que je l'ai vue vivre, mais que je regardais ailleurs.

Il regardait sa propre vie, comme nous faisons tous sans le savoir, il faut une situation particulière pour en être averti et je viens de voir la déception de Delphine. Je crois que sous la douche il n'y avait rien d'inhabituel, mais que nous ne prenons pas le temps de nous arrêter pour penser « je vis! » sauf à douze ans, lorsque l'enfance se termine et que l'éternité s'étend devant nous, lisse et infinie comme la mer par certaines très belles journées de vacances quand on n'a pas encore bien compris pourquoi l'horizon est inaccessible. Delphine avait raconté à Paul que, à peine savait-il marcher, il partait seul sur la plage et ne tolérait pas qu'elle le suivît. Elle restait donc à bonne distance. Si quelque chose l'inquiétait, il n'était jamais surpris de la voir apparaître et la congédiait du geste lorsqu'il était rassuré. Il connaissait bien cette histoire qui lui parlait d'illusion, de rêver que l'on est grand et que l'on règne sur ceux dont on a besoin.

— J'ai vingt-cinq ans, dit-il à sa sœur, je ne m'étais jamais demandé s'il n'était pas fort ennuyeux de suivre ainsi un enfant qui s'en fait accroire.

Il retrouva sa chambre de petit garçon. Après son départ Delphine y avait installé un bureau, on ne voyait plus les traces de son enfance. Il fallut descendre un divan de la mansarde et sortir des couvertures du placard aux vieilles lettres. Il fit le lit avec Mathilde.

— Moi aussi, je voudrais bien loger ici, dit-elle. Lorsque je suis partie, je ne pensais qu'à ma destination, pas à ce que je quittais. Combien de temps lui reste-t-il ?

— Peu. Trois ou quatre mois.

Elle resta en suspens, l'oreiller à demi engagé dans la taie, le regard morne.

— Elle va mourir ? C'est donc vrai ?

Paul la prit dans les bras. Elle sentit qu'elle restait toute roide, soupira et essaya de se blottir. Ils se turent un moment puis achevèrent de faire le lit.

— Il faut aller à Modave, dit Paul. Letellier croit qu'elle n'a pas encore annoncé qu'elle avait cessé de travailler. Il dit qu'elle a fini sa crise d'héroïsme et veut bien que l'un de nous s'en charge.

Mathilde acquiesça :

— J'irai dimanche.

Et deux jours plus tard, Pauline l'écoutant se demandait d'où leur venait cette horreur du drame qui les empêchait toutes de pousser des cris et de se tordre les bras. Est-ce le siècle où je suis ? une sorte de conformisme qui impose la discrétion comme un autre imposait l'excès ? et ne suis-je calme et retenue devant ma petite-fille qui me parle de la mort de ma fille que par docilité ? Mais un souvenir passa en elle, d'abord vague et qu'elle eut de la difficulté à retenir, il était prêt à disparaître. Ma grand-mère, se dit-elle, les crêpes noirs, le jais, les manteaux teints à la hâte, des sanglots bruyants, je sais que j'avais huit ans quand mon grand-père est mort. Elle gémissait toute la journée, rauque de douleur, mais s'interrompait fort bien de souffrir pour pester contre la bonne qui avait oublié de passer au Silvo les cuillers en argent et de quoi aurait-elle l'air à l'heure du café, après l'enterrement ? Je ne me sou-

167

viens pas de mes sentiments mais j'ai dû regarder
cela avec attention car je me rappelle parfaitement
que ses larmes se remettaient à couler dès qu'arrivaient les visiteurs. Elle avait les yeux rouges toutes
les vingt minutes. Son devoir était de pleurer : le
mien semble être de me contenir. Je crois que
j'aurais tendance à penser que je fais mieux qu'elle,
alors que je ne fais que me soumettre à d'autres
lois, que moi non plus je n'ai pas inventées. Ma
grand-mère aimait beaucoup son mari, ce qui ne
lui faisait pas oublier ses devoirs d'état. A l'époque
il semble que je n'y ai rien compris et me voilà
écoutant Mathilde et raisonnant sur les clameurs et
les sacs de cendres qu'on se renverse sur la tête. Ma
grand-mère pensait à l'éclat de l'argenterie et moi,
j'examine mes sentiments : en somme, je regarde si
j'ai l'âme bien tenue, elle c'était son ménage, et je
me trouve plus noble. Je ne suis pas plus libre
qu'elle car si tout à coup, ici, j'abandonnais les
bonnes manières de mon temps, Mathilde en serait
horrifiée. Ma grand-mère exagérait sans doute
l'expression de son chagrin parce que c'était ce que
l'on attendait d'elle, moi, je la retiens pour les
mêmes raisons. Je connais Mathilde : elle est sévère
avec moi, même si elle n'en sait rien, car elle pense
que si l'on n'est pas estimable à mon âge, c'est irréparable. Je ne peux pas la décevoir dans le temps
même où sa mère la quitte.

Mathilde s'était tue et Pauline qui venait de dénombrer ce qu'elle se défendait ne savait plus que dire. Il y eut un malaise, un silence vide. Alors la chatte intervint, agacée peut-être par cette atmosphère de nervosité immobile. Elle se dressa, planta ses griffes dans le velours fané du divan et se tendit, arquée, prête, attendant la réaction, elle eut la sauvagerie à fleur de peau et feula doucement.

— As-tu vu comme elle est belle ? dit Pauline en la caressant.

Et Mathilde reprit son souffle. Elle avait eu peur : Pauline ne se doutait pas qu'elle avait le regard éteint, l'air égaré, et que, pendant qu'elle croyait penser tranquillement à sa grand-mère, elle avait pâli à la manière des vieillards, devenant grise, comme gelée, effrayante au point que, rentrée chez elle, Mathilde dit à Louis qu'elle avait pensé la voir mourir, là sous ses yeux.

— Il me semblait qu'elle ne respirait plus, elle ne bougeait pas du tout et j'ai failli crier : Pas toi ! pas toutes les deux ! Je crois que la chatte l'a senti et qu'elle a été plus naturelle que moi.

Oui, mais ensuite ? se dit Pauline, quand elle fut seule. Elle regarda sa vie : un roman américain à gauche de l'ordinateur, un dictionnaire à droite, l'imprimante sur une petite table, à côté du chandail qu'elle avait commencé deux mois plus tôt pour Paul et qui n'avançait pas. Les tulipes blanches étaient sorties, mais pas encore ouvertes, on voyait juste un gonflement plus pâle au bout de la tige et elle ne prenait pas de plaisir à les regarder. Le voisin allait arriver, ils prenaient toujours le thé ensemble le dimanche. Elle fit l'inventaire de son humeur et vit que tout lui pesait : elle dormait mal, répugnait à cuire un légume, la pluie la dérangeait et le soleil lui fatiguait les yeux. Ses deux amies d'enfance l'entouraient d'une compréhension discrète dont la pensée la fit grincer des dents. Elle consulta les programmes de télévision, vit qu'on donnait *Tristan et Yseult* dans une version qu'elle avait envie de voir depuis longtemps et l'idée d'y passer la soirée lui sembla intolérable. Ce fut, une heure plus tard, le voisin qui l'éclaira :

— Pourquoi n'allez-vous pas chez votre fille ? Ne m'avez-vous pas dit que la maison est grande et qu'il y a de la place ?

Ronchonnante comme elle était, elle commença par dire que la taille de la maison n'y faisait rien et qu'une femme de bon sens ne va pas loger chez sa fille.

— En temps ordinaire, je le crois, dit-il calmement.

— Une lueur d'intelligence m'a traversée, expliqua-t-elle le lendemain à Mathilde, et, sur le moment, regarda le voisin avec stupeur.

— Mais vous avez raison ! s'écria-t-elle. Je pars.

170

Il dit qu'il en était fort heureux. Elle mit quelques vêtements dans une valise, la chatte dans son panier, rédigea les instructions qu'elle donnerait aux cousins avec les clés, et prit la route. Elle arriva vers huit heures : Letellier qui avait dîné là vint lui ouvrir.

—Je suis venue, dit-elle d'un air penaud.

Il sourit :

— Que pouviez-vous faire d'autre ?

— Si ça se trouve, vous m'attendiez ?

— Pas forcément ce soir, mais bientôt. Telle que Delphine vous dépeint, je ne pensais pas que j'aurais à vous demander de venir.

— Ah ! Cela était donc nécessaire ? Je pensais faire un caprice.

— Non, dit-il, avec Paul et vous, nous éviterons l'hospitalisation.

Elle resta un instant silencieuse.

— Bien sûr, dit-elle, bien sûr...

Mathilde et Louis arrivèrent peu après et la soirée se passa calmement, comme si c'était une soirée ordinaire dans une famille tranquille.

J'ai peu parlé de Louis. Il a trente ans. Lorsque Mathilde l'a connu, elle n'a pas pensé qu'il prendrait de la place dans sa vie : c'était un homme peu bavard qui pendant quelque temps la regarda exister en souriant. Elle y mettait de l'ardeur et un peu de désordre, goûtant aux amours qui se présen-

taient comme pour se former le palais. Quand elle
se sentit observée, il lui dit : Prenez votre temps, ce
qui, évidemment, la jeta dans la hâte. Il l'avait
attendue six mois : arrivée, elle eut l'impression
qu'elle avait toujours été là. Il dispensait la sécurité
et Mathilde avait assez d'inquiétude pour aimer à
se gorger de calme. Peut-être ressemble-t-il à un
Letellier qui ne se serait pas laissé manger par le
métier. Il est physicien et explique qu'on le paie
pour s'asseoir à une table et réfléchir à des équa-
tions, ce qu'il ferait pour son plaisir. Il ne dramatise
ni ne banalise les choses : il prend ce que le
moment lui propose, et ce soir ce sont ces gens qui
parlent paisiblement, font une partie de scrabble
sans éclat parce que le hasard distribue les jeux de
façon terne, échangent ces plaisanteries habituelles
qui marquent l'intimité comme si la mort n'habitait
pas la femme aimable et souriante qui les reçoit.
On se sépare tôt, car demain la semaine commence
et Paul étudie surtout la nuit, il se concentre mieux.
Il passe ses derniers examens en soupirant qu'il sera
bien content d'avoir fini, et Letellier répond, bien
sûr ! qu'il ne sait pas ce qu'il commence. Delphine
rit, elle dit qu'elle ne voit pas pourquoi il faut tant
d'examens pour apprendre à doubler les doses
d'aspirine, et Letellier promet de le lui expliquer,
mais cela prend aussi sept ans. Mathilde et Pauline
décident d'un rendez-vous pour déjeuner en ville,

172

après quoi elles feront les courses de la semaine. On sent que ces gens sont en train d'établir des habitudes pour les mois qui viennent. Quand Letellier, Mathilde et Louis partent, Paul demande à Pauline de lui faire du café. En général il le fait lui-même, mais celui de sa grand-mère est meilleur. Delphine se couche, prend un somnifère et lit en attendant le sommeil. Pauline occupera l'ancienne chambre de Mathilde. Elle y retrouve avec amusement l'étroit lit modern style où elle avait couché jeune fille et que, vingt ans plus tôt, elle avait donné à Delphine. La pièce a été soigneusement aérée, l'odeur de peinture fraîche a disparu. Elle dormira mieux qu'à Modave, elle est plus calme. Paul travaille, la porte de sa chambre est ouverte pour entendre sa mère si elle appelait, bien qu'il sache que ce n'est pas encore nécessaire. Cela le tranquillise. Vers quatre heures il s'arrête, jette un coup d'œil sur Delphine qui respire calmement et se couche. La maison peuplée de ses dormeurs silencieux achève la traversée de la nuit.

Le lundi, Pauline et Madeleine installèrent une table de jardin dans le salon. Elles la couvrirent d'un épais tissu hollandais devant lequel Delphine resta perplexe, elle ne voyait pas du tout comment il était arrivé dans sa maison mais Madeleine assura avec fermeté qu'elle l'avait toujours connu, soigneusement plié et rangé au fond d'une armoire. Pauline y installa son ordinateur, le brancha et ouvrit le roman américain. La chatte explorait la maison, hésitant sur le choix des lieux qu'elle s'approprierait. Pauline eut un moment d'agacement : elle avait oublié son dictionnaire d'argot new-yorkais, puis se rassura en constatant que, avec le temps, elle était devenue experte et connaissait par cœur toutes les manières de nommer le sexe masculin. Quand Delphine l'entendit recenser son savoir, elle éclata de rire.

— Le terme exact, quoi qu'il désigne, m'a toujours paru digne d'intérêt, dit Pauline. Je dois à la vérité de dire que tout a commencé avec *L'amant de Lady Chatterley* lorsque le livre faisait encore scandale. J'étais curieuse, et ma mère surveillait mes lectures, mais elle ne lisait pas l'anglais. Lawrence ne nomme jamais rien, cela m'a agacée, j'y ai pris le goût du langage précis.

Delphine la regarda travailler : on voyait qu'elle s'amusait. Toutes les deux ou trois pages elle s'arrêtait, relisait, critiquait et corrigeait.

— Celui-ci est facile. Parfois je peine pendant des heures pour un mot. En anglais comme en allemand il y a des termes dont nous n'avons pas l'équivalent exact, et il faut choisir entre une périphrase, qui alourdirait, et une imprécision. On ne pense pas les mêmes choses dans toutes les langues, tout le monde sait ça, et cependant j'en reste étonnée.

— Au fond, c'est curieux, dit Delphine. Tu travailles avec les langues, et moi, je suis devenue experte en langage d'ordinateur. Crois-tu que, sournoisement, je me sois arrangée pour faire la même chose que toi, mais sans que cela se voie ?

— J'aurais appris l'anglais pour lire les livres que ma mère me défendait et toi le Pascal et le Fortran par tradition familiale ?

— Mais je n'entre pas là-dedans, avec l'astrophysique, dit Mathilde à son arrivée, une heure plus tard.

— Tu te relierais à moi par les mathématiques et moi à ma mère par le langage. Cela se tient.

L'idée leur plaisait. Mais Paul ? On le rattachait facilement à son grand-père par la médecine, mais pas à son père.

— Et le père d'Henri était notaire !

— On dirait qu'on relie plus aisément les femmes, dit Mathilde rêveuse.

— C'est qu'il en est ainsi depuis des siècles, par la soupe et la lessive ! s'exclama Pauline, et avec nos activités intellectuelles nous suivons simplement une tradition. Une de mes grand-tantes écrivait des poèmes qu'on lisait en famille, avec des discussions très serrées sur la prosodie entre mon père et mes oncles. J'ai un souvenir confus d'une *Ode à la victoire* pleine de majuscules que j'associe au 11 novembre et aux cloches qui annonçaient l'armistice, mais cela doit être faux : je n'étais pas née. Il y avait beaucoup de strophes richement rimées, ce qui demande du temps.

— C'était une vraie patriote et elle y travaillait depuis 1914 ? proposa Mathilde.

— Je ne sais pas... Il y a aussi une idée de deuil et de grande douleur qui s'attache à elle.

— Son fiancé avait été tué à Verdun ?

— Mais non ! j'y suis ! Il y avait bien un fiancé, et une bataille, mais c'est l'Yser et il n'y est pas mort, il a envoyé une lettre de rupture car il était tombé amoureux d'une infirmière. Il était médecin. Décidément, c'est une manie dans cette famille ! Je n'ai pas pensé à cela depuis plus de soixante ans, et je me souviens parfaitement qu'il se nommait Jean Delavaux. Ce n'était pas une grand-tante, elle était la sœur de mon père, c'est la douleur qui l'a vieillie. Après la guerre, elle s'est retirée dans un béguinage où elle écrivait des poèmes sur Jésus, Epoux Divin donc jamais infidèle. Elle a acquis très vite ce teint rose et blanc qu'on voit aux religieuses depuis Memling et je crois qu'elle a fini par prendre le voile. Je ne sais pas quand elle est morte. Enfin, vous voyez que le goût du langage était dans la famille.

— Je ne savais pas que nous y comptions une religieuse.

— Et jusqu'à il y a dix minutes, j'aurais paisiblement assuré que non. On ne connaît pas tous ses trésors.

Elles rêvèrent sur la tante, dont Pauline ne retrouva jamais le prénom. Quelque chose s'engageait doucement entre elles, qui les charmait et par quoi elles se laissaient porter.

— Tous ces gens dont nous descendons, murmura Delphine. Ta grand-mère, sa mère, la mère de sa mère.

— Il faudrait tenir des archives. Que sais-tu de ton arrière-grand-mère ? demanda Mathilde.

— Rien. Ma mère, Hortense, était née en 1892 : logiquement, on peut penser que sa grand-mère avait vu le jour entre 1840 et 1850. Jeune, mon père a sorti d'une vieille malle un portrait de jeune fille d'une très mauvaise facture qui semblait dater de cette période-là. Je l'ai toujours, dans je ne sais quelle mansarde, à Modave.

— Voilà, dit Delphine, dans un siècle et demi, trois femmes auront la même conversation à notre sujet.

— Désormais je vais écrire l'histoire de ma vie. Tous les ans j'ajouterai un chapitre bien détaillé et j'enseignerai à mes enfants que c'est un devoir à remplir, déclara Mathilde avec une grande fermeté. J'irai demain acheter un beau cahier relié de cuir, comme on voit dans les papeteries, ils me font rêver, j'en ai envie depuis longtemps, mais je ne savais pas quoi en faire. J'ai trouvé.

Elles revinrent à la tante qui s'était retirée du siècle et des hommes, cherchèrent à lui inventer une autre vie, cela ne donnait jamais qu'un mariage de compensation, des enfants et le devoir accompli. Que peut-on faire d'une femme qui s'en va au premier chagrin? Il y en a qui se fâchent et qui font souffrir dix amants, disait Mathilde. Oui, mais ce ne sont pas celles qui écrivent des odes à la victoire admirées par toute une parentèle, répondait Pauline, il faut, pour la révolte, plus de contradiction qu'une jeune fille bien élevée ne peut en rencontrer dans une famille ordinaire, avec des gens normalement amicaux et tolérants. Elles jouèrent à former des hypothèses : un amoureux discret qui aurait pu la consoler? Le fiancé perdu, elle aurait reporté sa passion sur les Belles Lettres et serait devenue membre de l'Académie? On n'a qu'un destin : le destin qu'on a eu est-il obligatoire? Si tel jour, à telle heure, on était allé ailleurs?

— La machine à voyager dans le temps et les espaces parallèles, dit Mathilde. On met toute une vie, instant par instant, dans l'ordinateur. Chaque mot, chaque geste, ce qu'on a dit, ce qu'on n'a pas dit mais qui a taraudé l'âme, les larmes, les cris, les colères, les rires, la couleur du ciel et le son des voix, tout. Tu dois pouvoir inventer cela, on nourrit la machine de toute une histoire, puis on choisit un lieu, une seconde et on pose la question : si on n'avait pas fait telle rencontre, dit telle parole, qu'advient-il ? Comment change-t-on ? Que devient-on ?

— C'est la terreur, dit Pauline. Suppose que je préfère un autre destin ?

— Songe au bonheur, si tu préfères ta vie aux cent autres vies possibles.

Delphine s'enflamma.

— Il suffirait d'avoir absolument toutes les informations, dont je fais vœu d'oublier à l'instant même que c'est irréalisable, avec un bon programme, et s'il y a une chose que j'ai appris à faire en ce bas monde, c'est un bon programme, je vous sors mille vies parfaitement vraisemblables.

— Et moi, j'abandonne ma thèse et j'étudie une machine qui permette de se rendre dans les espaces parallèles.

Quand Letellier arriva, il les trouva discutant avec ardeur de paradoxes temporels. Elles se sentaient fermement soutenues par Wells, Barjavel et Robert Heinlein.

— Quelle vie voulez-vous ? demanda Mathilde. Delphine vous la calcule et je vous y envoie dès que la machine sera construite.

Il s'assit, fronça les sourcils, et, après réflexion :

— Vous parlez à un homme qui n'a pas d'imagination, dit-il. Je ne sais même pas si je suis content de ma vie ou si elle m'a déçu.

Il était déconcerté de les voir rire, jouer. La veille, tout était si sérieux, une famille faisait dignement face au malheur, on s'y serait édifié l'âme. Les trois femmes avaient tout à coup l'air d'être entrées dans une complicité à laquelle il commença par ne rien comprendre. Elles lui proposaient de participer au jeu. Comment joue-t-on ? Il n'en savait plus qu'une chose : cela exige le plus grand sérieux, alors il demanda des explications sur la nature du temps et la manière de s'y déplacer. Il ne reconstitua jamais comment, cinq minutes plus tard, on lui racontait la vie d'une demoiselle qui avait pris le voile dans les années 20 au lieu de rejoindre le mouvement surréaliste et d'aller danser au Bœuf sur le Toit. Quand Mathilde fut partie et que Pauline fut montée se coucher, Delphine voulut lui expliquer :

— C'est toute une vie qui s'est déroulée et dont on n'a plus trace, sauf un souvenir d'enfance indistinct chez une femme de soixante-dix-sept ans. Ma mère n'a aucune idée de ce que sont devenus les poèmes, qui, aussi mauvais qu'ils aient pu être, sont tout ce qu'elle a produit, avec peut-être quelques napperons brodés que les lessives ont usés, ils sont perdus au fond d'une armoire et nul ne sait d'où ils viennent. Nous avons parlé d'elle pendant une soirée, personne n'en parlera plus après nous. Une vie pour rien, un coup dans l'eau. Je trouve cela pathétique.

Il entendit alors qu'elle parlait de la mort, ou, mais c'est la même chose, de ce bref passage dans la conscience que l'on nomme vivre, puisque nous nommons tout, persuadés que c'est le nom qui donne l'existence aux choses comme à nous-mêmes, et comprit que cette tante perdue dans l'oubli était le moyen que leur pudeur avait trouvé pour parler de ce qui les attendait. On ne s'indigne pas longtemps sur sa propre mort, cela est malséant et on se trouverait vite à court d'invention, exposé à répéter la même chose, qu'on n'avait pas fini, qu'on voulait encore faire ceci, aller là, bâtir et planter à cet âge.

— Quand une tâche est accomplie, on oublie si vite le temps qu'on y a mis, le travail dépensé. C'est fait, c'est fini, on regarde ailleurs, on commence autre chose. Parfois il me semble que moi non plus je ne vais pas laisser de trace, c'est un peu vrai et un peu faux. Combien de temps se servira-t-on de ce que j'ai inventé ? Aurai-je une postérité ? Je me rassure comme je peux, d'une idée à moi est née une autre idée, qui en engendrera une, mes enfants auront des enfants qui auront des enfants. Tant que je vis, je suis moi, et puis je vais devenir un maillon dans une chaîne, comme ces hommes et ces femmes dont je ne sais rien, rien du tout, et dont je descends en ligne directe. Je n'aime pas cette pensée et ces jours-ci je ne vois pas comment je pourrais m'en défendre.

Ainsi, ce qu'elles faisaient, toutes les trois, c'était tenter d'apprivoiser l'idée de la mort, en passant par une autre femme, depuis longtemps disparue, sur qui personne n'allait verser de larmes ? Jadis, les romans étaient pleins d'amantes délaissées retirées au couvent. Sitôt sous le voile, on les quittait. Si elles ne mouraient pas avec une gracieuse promptitude, comme a montré la Princesse de Clèves, la famille leur rendait visite, on les trouvait brodant un napperon au point de croix, s'empâtant pas à pas sur le chemin des derniers sacrements et le grand geste de renoncement leur mettait une aiguille à la main. Cinquante ans plus tard, la tante sans prénom aidait une autre femme à se familiariser avec sa mort.

— Je vous aime, dit-il doucement, je vous aime et cela n'a aucune importance. N'est-ce pas étrange ? Nous sommes d'un monde où aimer, ne pas aimer, le désir et ses buts déterminent les destins. Cet amour-là n'infléchira ni votre vie, ni la mienne. Il me vient quand on ne sait que faire d'un amour. Jeune, c'est facile, on y fonde sa vie, tant bien que mal. Je n'avais pas d'avenir : j'ai, tous les jours, la visite que je vous fais.

— Et après ? dit-elle.

— Après : rien.

Ils restèrent longtemps silencieux.

— J'ai mené une vie raisonnable, reprit-il. Dans dix ou quinze ans, selon la fatigue, je prendrai ma retraite. Tel que je me connais, je ne m'y ennuierai pas, il y faut une âme plus tourmentée que la mienne. Je serai un vieil homme calme et solitaire. Il ne me sera plus rien arrivé. J'ai une sœur dont les enfants m'aiment bien : ils ont promis que je servirai de grand-père à mes petits-neveux.

— Peut-être seront-ils comme Mathilde : dans vingt ans vous leur raconterez votre histoire et cette femme qui a traversé votre vie en quittant la sienne.

— Peut-être, dit-il, peut-être.

Elles ne recommencèrent pas le jeu tout de suite. Le matin, Pauline travaillait, la traduction du roman américain fut achevée fin avril et l'éditeur lui en envoya un autre. Delphine descendit seule au salon jusqu'en mai, après elle n'en eut plus la force, mais elle ne consentit jamais à rester dans sa chambre et Paul la soutenait le long des escaliers. Elle s'installait sur le large canapé de cuir blanc. En s'affaiblissant, elle devint très frileuse, le soir Paul allumait un grand feu de bûches. Mathilde venait presque tous les jours, en mai elle prit l'habitude de déjeuner là, vers la fin juin elle demanda son congé d'été. Paul s'arrangea pour ne pas être de garde la nuit. Il passait parfois la soirée à l'hôpital, on le remplaçait vers minuit et Letellier ne partait pas avant qu'il ne fût rentré. Ainsi toute une série d'habitudes se mirent silencieusement en place et la mort établit ses quartiers dans la grande maison blanche, régissant les gestes des vivants comme elle fait tout au long, mais on ne s'en aperçoit que forcé par l'imminence.

Mathilde regarda l'inutile amour qui se déployait et n'en parla jamais qu'avec Louis :

— Il est amoureux de la mort, dit-il. Toute sa vie il a flirté avec elle, elle lui file toujours entre les doigts : elle emporte sa proie ou s'éloigne vaincue, elle le laisse toujours seul, avec un vivant qu'il lui a repris ou un cadavre qu'il faut écarter, elle est partie, ailleurs. Maintenant, il croit qu'il la capte et il restera seul, floué comme chaque fois.

— Il dit qu'il n'a pas d'imagination.

— Qui ne croit pas cela ? Chacun de nous est si familier avec sa folie qu'il la prend pour une banalité.

L'après-midi, Pauline faisait ses courses, allait au cinéma, et Madeleine préparait le dîner. Delphine restait seule, lisant, rêvant. Bientôt, elle n'eut plus la force de monter les escaliers et le soir Paul la portait à sa chambre. Elle se sentait légère et en fut étonnée :

184

— Je vois bien que j'ai toujours craint de peser sur les autres, dit-elle à Letellier. On dirait qu'en mourant je m'accorde des droits. Mourir, qui après tout est donné à tout le monde, me paraîtrait donc une si noble entreprise ?

— On passe tant d'années à vivre qu'on a le temps d'y prendre de mauvaises habitudes. Quelque chose qu'on ne fait qu'une fois a plus d'éclat ?

C'était le milieu de l'après-midi, Mathilde travaillait et Pauline ne rentrerait que plus tard.

— Vous êtes un monstre, dit Delphine en riant. Est-ce un langage de médecin et ne devriez-vous pas m'interdire de penser à ça ?

— Je ne suis pas médecin des âmes, ma chère, seulement des corps. Quand vous me parlez de votre âme, je vous réponds en homme ordinaire. Ce ne sera peut-être que dans vingt ans, mais je vous suivrai sur le chemin où vous êtes : je m'instruis.

— Voyez-vous, ce qui me gêne, c'est le sentiment que je n'y mets pas assez de sérieux. J'oublie la plupart du temps ce que je suis en train de faire, qui devrait occuper toutes mes pensées, et je m'amuse à vivre. Je me trouve les excuses que je peux, il me semble malgré tout que je ne suis pas correctement concentrée sur la tâche.

— Il y a du devoir à accomplir, là-dedans, le catéchisme a dû vous marquer.

— Je n'y suis jamais allée. Sans doute n'en a-t-on

185

pas besoin, on le reçoit avec l'air du temps. Je suis une femme de devoir, je fus une épouse fidèle et une mère dévouée dans un siècle qui n'en a cure et j'ai dû me déguiser en femme libre et en mère intelligente. Mais le déguisement a si bien pris que j'en suis devenue dupe, et voilà que, victime de la frivolité, je m'amuse encore alors que je devrais, tremblante, contempler l'éternité où je vais culbuter dans quelques pas.

Letellier la regardait attentivement. Elle fit la grimace :

— Ai-je tenu des propos inconvenants ?

Il hocha la tête :

—Je dois avouer que je pensais à moi. Je me demande toujours pourquoi je suis tombé amoureux de vous. Je vous connaissais depuis vingt ans, j'aurais pu m'y prendre plus tôt.

— Et recommencer les rôtis froids ou trop cuits ? J'ai, sur les autres femmes, l'avantage de ne pouvoir être que temporaire et je n'aurais plus la force de porter le rôti au four.

La porte s'ouvrit et Madeleine apparut, poussant une table à roulettes.

— C'est l'heure du thé, dit-elle avec satisfaction, et désigna la cafetière.

Elle avait appris que le bon ton ordonne de servir le thé à cinq heures, mais elle assimilait toute infusion au tilleul ou à la camomille, boissons médicinales, et trouvait le docteur Letellier homme de goût parce qu'il n'aimait que le café et le prenait volontiers au moment élégant. Elle regarda Delphine remplir les tasses, se retint de lui conseiller davantage de sucre et de crème, qui donnent des forces, puis se retira.

—Je crois que je n'avais plus été amoureux depuis mes huit ans, dit Letellier. Elle avait quinze ans et je voulais qu'elle jure de m'attendre. Cela faisait près de vingt ans, puisque j'avais déjà décidé de faire la médecine, elle me pria très gentiment de l'excuser. Nous habitons toujours le même quartier, je la rencontre souvent, j'ai à cœur de lui reprocher son impatience.

Après quoi, ils parlèrent du temps et s'accordèrent pour penser qu'on en a toujours trop peu.

Quand il fut parti, Delphine se disposa à passer paisiblement le reste de l'après-midi. Elle avait de la lecture, de la musique, que lui fallait-il d'autre ? Le premier livre ouvert lui parut ennuyeux après quatre pages, elle le mit de côté et en essaya un autre, puis elle trouva les sonates pour violon et piano de Brahms grinçantes, arrêta Debussy après dix mesures, alluma la radio pour apprendre que le temps avait été beau toute la journée et ferma aussitôt.

— Mais je m'ennuie ! découvrit-elle avec stupeur.

Elle eut un accès d'admiration pour soi-même : est-il concevable d'être plus gaspilleuse qu'en s'ennuyant avec quelques semaines à vivre? Elle ne tenait pas que l'excès fût un péché, qui lui paraissait opinion d'avare. Mais qui puis-je convier pour partager ce mouvement d'admiration? Je dis que j'ai du chagrin : c'est une farce, le chagrin est pour les autres, j'ai si peu conscience, en vérité, du temps qui me reste que je trouve le moyen de le perdre. Il me faut des sensations plus vives que Debussy ou un roman intelligent sur l'âme humaine en 1999 : elle mit donc le *Requiem* de Verdi et entama la lecture de *Dune* dont on lui avait dit que c'était une histoire sauvage. Même ainsi, elle eut de la difficulté à se concentrer et je sais pourquoi : les paroles de Letellier lui rôdaient dans la tête.

Pendant que les astronefs s'élançaient dans les galaxies et que des voix furieuses ordonnaient au Seigneur de dispenser le repos éternel, nom de Dieu! à ceux qui l'ont bien mérité, elle sentit confusément qu'on lui avait parlé de l'amour. L'image de Letellier passait, un homme calme, le visage fermement taillé dans une matière bien dure, l'air vigoureux et compétent : ce n'était pas cela qui correspondait au frémissement qui la traversait, à un goût de larmes fraîches, une petite odeur de désespoir furtif. Une réminiscence se dérobait, provoquée et masquée par la voix basse de Letellier. *Je suis amoureux de vous* : les mots résonnaient, elle arrêta Verdi, essaya d'écouter les voix intérieures et remit le ton-

188

nerre montant du *Dies Irae* car elle n'entendait plus rien. Les vers de sable escaladaient les dunes, chevauchés par les Touaregs du dixième millénaire sur une planète si lointaine que le temps s'y déroule autrement que dans le système solaire et Delphine revit tout à coup le visage du petit garçon qu'elle aimait quand elle avait cinq ans. Il se nommait Pablo, le prénom le plus beau qu'on pût imaginer, il avait le même âge qu'elle et ne comprenait rien aux passions, ce qu'il montrait en ne rendant pas l'amour qu'on lui portait. Il regardait l'amante trembler dans le vent du désir et, perplexe, ramassait les soldats de plomb que l'élan de Delphine avait renversés.

—Je t'aime, Pablo.

— Ben, oui, disait l'objet du premier amour.

Et de Phèdre en Bérénice la passion desséchante transperçait les corps, clouait les femmes au cœur indifférent du bien-aimé, saccageait les petites filles et poursuivait sa route à travers les générations, nourrie par les visages ravinés, les yeux brûlés de larmes, les voix brisées. Delphine sanglota, sûre de n'avoir aimé qu'une fois, cent siècles plus tôt, un petit garçon aux cheveux noirs qui ne savait pas encore à quoi sert l'amour.

# 7

## *Offertorium*

Les larmes laissèrent Delphine dans une sorte de silence où seul résonnait l'étonnement : j'ai parcouru ma vie, mais ce chagrin-là est resté intact, prêt à être ranimé, c'est la Belle au bois dormant qu'on peut toujours réveiller ? Pauline et Mathilde sentirent sa distraction et restèrent hésitantes. Que fait-on devant le désarroi ? Le questionnement était inutile :

— Qu'est-ce que tu as ?

— J'ai que je meurs.

Et que dit-on ensuite ? Delphine leur demanda comment s'était passée leur journée, elles s'appliquèrent à des récits qui ne les intéressaient pas. Le silence et le malaise rôdaient, avant-garde morose à qui elles ne savaient pas comment refuser le passage. De quoi peut-on parler à côté de la mort ? Les familles désignées se réunissent dans la chambre du malade et lui disent qu'il ne doit pas s'inquiéter, que les nouvelles sont bonnes, sa température a baissé, il ira bientôt mieux, la cousine Irma va venir le voir : le mensonge gonfle et s'épanouit, tumeur maligne, on meurt deux fois, l'âme empoisonnée d'abord, le corps ensuite. Ce fut Mathilde la plus courageuse :

— Tu es triste, dit-elle à sa mère.

— Oui, répondit calmement Delphine. C'est que je me suis souvenue de mon premier chagrin d'amour.

— Raconte !

Mais il y avait si peu à dire qu'elle fit vite la grimace :

— Pas de Montaigu, pas de Capulet, et j'y ai survécu : Margot va rester les yeux secs.

— Tout est dans la manière de raconter, dit Pauline. Tu n'y mets pas d'ampleur tragique. On sent que la pudeur te retient. Et le bon sens, sans doute, car que fait-on d'un amour à cinq ans ? S'il t'avait aimée, tu ne te souviendrais de rien.

— Ou bien nous nous serions mariés à dix-huit ans, et je l'aurais suivi en Espagne s'il avait voulu y retourner, j'aurais eu un bébé tous les onze mois.

— Quelle horreur ! dit Mathilde, je ne serais pas moi. J'aurais les cheveux noirs, des guiches et des accroche-cœur.

— Voilà mon autre vie ! Je l'aimais tant que je

192

serais devenue ce qu'il aurait voulu. J'y suis une femme timide, contente et qui brode en silence au milieu d'une famille. Tous les soirs, je prépare une grande casserole de soupe où mes nombreux enfants viennent puiser. Ils mangent en parlant avec animation, et je ne comprends pas ce qu'ils disent, car mon savoir ne va pas plus loin que de bien choisir les légumes et les viandes.

— Tu serais morte d'ennui.

— Non, car je n'aurais pas eu dans la tête ce pensoir qui s'agite, suppute, s'inquiète et recommence. J'aurais su chaque jour ce que j'avais à faire, qui était prescrit : lundi on lave les draps, mardi on va au marché, et le vendredi on fait les vitres, au lieu de devoir toujours inventer. Chaque tâche prend un temps défini, en commençant à l'heure, on sait exactement quand on aura terminé. Une confiance parfaite m'aurait animée, je n'aurais jamais eu le moindre doute sur la qualité de mon travail : la propreté du linge et la transparence des carreaux sont des garants qui ne font pas défaut. Il n'y a pas d'autre juge que son propre regard et il suffit de frotter assez longtemps pour être sûre de le contenter.

— Tu crois cela ? On devient presbyte, dit Pauline.

Elles éclatèrent de rire et le jeu reprit. Elles comparèrent leurs vies à leurs mythes et reconnurent qu'elles ne regrettaient pas vraiment la vie calme aux travaux ennuyeux et faciles. Delphine qui voulait penser à soi comme à une femme paisible admit qu'elle avait de l'inquiétude.

— Mais comment éviter cela? J'ai entendu parler d'un temps où l'on disait aux gens que s'ils remplissaient bien tous leurs devoirs, qui étaient clairement définis, ils auraient la paix de l'âme ici-bas et le paradis ensuite : quelle merveille! On savait comment faire, il y avait des critères connus que l'on pouvait appliquer. Moi, j'ai toujours dû inventer et affronter le jugement.

— N'était l'arthrite qui me freine, je lèverais les bras au ciel, dit Pauline. Voilà ce qu'il faut entendre après trois générations de féminisme.

— Que pensait ta mère du féminisme, lui demanda Mathilde, comment était-elle?

— Engoncée. Le produit parfait des certitudes que ta mère regrette. Son père était médecin, avec des idées avancées et le savoir disponible à l'époque, sa mère connaissait les bons usages et s'y soumettait. Elle se construisit comme elle put, et devint une femme au geste ample et aux idées étroites. Elle me calottait avec une grande fermeté et distribuait généreusement l'aumône. Quand je parlai de faire des études, elle fut effarée et me dit que je me marierais. A quinze ans j'avais déjà des galants et à dix-huit ans je brûlais. Elle me fit lire l'Epître aux Corinthiens pour me convaincre d'épouser, je le lui promis, après l'Université. Je voudrais pouvoir en dire de belles choses, mais quand je l'évoque il ne me vient jamais que des histoires de bonnes manières et d'ourlet à rectifier. Je suis probablement injuste. Elle se souciait beaucoup de mes toilettes et me donna, pour l'habillement, des principes stricts dont je ne me suis jamais départie : les carreaux et les fleurs ne se portent pas en même temps, il ne faut pas rapprocher le bleu et le vert. Elle me disait si une robe m'allait ou ne m'allait pas, jamais si j'étais belle : ma foi, les jeunes hommes me le dirent bientôt.

— Quand je pense, Grand-mère, que l'été dernier, tu te demandais si, parfois, les hommes ne sont pas ennuyeux.

Pauline sourit et continua :

— A ses yeux l'éducation n'avait, de toute évidence, pas d'autre but que de refréner les passions. J'avais trente ans quand elle mourut de ce que l'on nommait encore en chuchotant une maladie de femme. Elle avait une voix forte pour dire des choses faibles dont je perdis vite la mémoire. Elle m'apprit le lapin aux pruneaux que lui avait transmis sa mère, et le tricot, me passant ainsi tout son savoir, dont elle tenait que c'était son devoir. Je ne sais pas ce qu'elle pensait, ni si elle pensait. Je crois que les idées lui faisaient un peu peur, c'étaient des affaires d'homme, elle écoutait avec respect mon père commenter l'inflation en Allemagne ou l'arrivée du jazz. Elle le décrivait comme un homme impatient et qu'il ne fallait pas interroger, alors c'est à elle que je demandais ensuite de m'expliquer ce que je n'avais pas compris, mais elle fronçait les sourcils et murmurait : C'est très compliqué.

— La pauvre ! dit Delphine.

— Au moment de mon mariage, elle hésita beaucoup sur le moment et la manière de m'informer, lorsqu'elle se décida, elle découvrit que mon grand-père, le médecin, avait déjà fait le travail. Elle en fut bien soulagée, cela lui évitait des rougeurs. Moi je n'aurais pas rougi, il y avait longtemps que j'hybridais les ancolies avec lui, il m'avait appris ce qu'il savait de génétique et, dans le mouvement, la reproduction chez les humains. Elle admirait le savoir mais croyait que les femmes n'en ont pas besoin. En somme, je pense qu'elle a eu le bonheur de n'être pas très douée : dans ce temps, quand elles avaient des talents et qu'il fallait torchonner, les femmes tournaient vite grincheuses. Sa vie fut à la taille de ses capacités, qui étaient de bien gérer l'économie domestique et de freiner une fille facile à vivre. Son caractère et son époque s'accordaient, c'est une chance que tout le monde n'a pas. Elle fut étonnée et contente que le diplôme n'écartât pas les épouseurs. Mon père m'avait soutenue dans mes projets : il me trouvait assez jolie pour prendre le risque.

— Excellent père ! dit Mathilde.

— C'était un bougonneur. Tous mes souvenirs de jeunesse sont accompagnés de ses ronchonnements : le vote des femmes, les premières lois linguistiques, les suffragettes, le Traité de Versailles, l'occupation de la Ruhr, on ne pouvait pas toujours bien comprendre de quel côté il était. J'avais onze ans au moment de l'affaire Landru, tout me porte à penser, aujourd'hui, qu'il n'approuvait pas cette manière de se chauffer, mais à l'époque, en essayant d'entendre ce qu'il disait, j'en vins à l'idée qu'un monsieur avait si mal pris soin de sa chaudière que tout le voisinage en fut incommodé. Il me parut étrange que cela produisît une condamnation à mort, encore que les soins attentifs que ma mère portait aux objets ne rendissent pas cela tout à fait invraisemblable. Je devins très prudente avec les verres, les assiettes et les petits vases de Chine, ma mère observa avec satisfaction que je cassais moins qu'avant. Je sentis le couperet de la guillotine s'éloigner de mon cou, le soulagement s'empara de moi, je redevins plus légère et me pris le pied dans un coin du tapis : je m'étalai avec douze assiettes de Sèvres irremplaçables.

— Quelle horreur ! gémit Delphine.

— Je pleurais si fort que ma mère en fut émue et commença par me consoler. Voyons! disait-elle, voyons! tu vas te rendre malade, après tout ce ne sont que des assiettes. Elle ne comprit jamais pourquoi, entre deux sanglots, je hoquetais « Et Landru? » mais comme elle n'était pas femme à s'acharner sur ce qu'elle ne comprenait pas, les choses en restèrent là.

Elles riaient. L'humeur morne de Delphine était passée, un frémissement s'emparait des trois femmes.

— L'enfance est une tragédie, dit Mathilde, tu racontes en jouant, mais cela pourrait faire un drame, si on le traitait de façon plus moderne : la mère qui va son chemin les yeux bandés et la fille qui se bat pour survivre.

— Je n'étais pas portée au drame et on sentait fort bien l'amour derrière le bandeau, cela me rendait indulgente. Parfois trop : à treize ans j'étais si replète que mon père est intervenu pour surveiller mon régime. Ma mère avait peur du rachitisme et de la tuberculose, elle était sûre qu'il fallait manger énormément pour s'en protéger. Grâce à elle, j'ai épargné la suralimentation à ma fille.

— Ah! mais tu ne sais pas quels regards d'inquiétude tu me jetais quand je ne finissais pas mon assiette! Seule ma fermeté d'âme empêchait que je dépasse mon appétit pour t'apaiser. Tu

198

présentais le dessert d'un air tout joyeux, une crème au chocolat était le bonheur imminent, de préférence tu parlais avec animation d'autre chose, un nouveau spectacle, le dernier Goncourt, l'appendicite de la voisine, mais je n'ai jamais été dupe de ton hypocrisie. Tu espérais que je mange par distraction et j'ai toujours consulté mon appétit. Il y avait de l'héroïsme, car je n'étais pas insensible.

Elles s'écoutaient les unes les autres avec ce sourire intense que seuls donnent une attention et un plaisir profonds.

— Voilà donc le moment de ma vie où je découvre ta duplicité! Le pire est que ton père te soutenait : il croyait à d'horribles théories selon lesquelles un enfant sait ce dont il a besoin. Je devais faire confiance à la science plutôt qu'à mes instincts – à moins que je ne nomme instinct le souvenir de ma propre mère.

— Tout cela, c'est le malheur d'être enfant unique qui, de nous trois, n'a été épargné qu'à moi, dit Mathilde. Avec un frère qui guette si on ne prend pas une cuillerée de plus que lui, cela n'arrive pas.

— C'est aussi l'empreinte des siècles passés qui avaient horreur des clavicules. Une épaule n'était belle que lisse et sans ombre, sans doute ne pouvait-on pas savoir qu'une femme a un squelette comme tout le monde. En 1925, Paris décida que la beauté serait maigre. D'une semaine à l'autre les femmes perdirent vingt kilos et ma mère resta perplexe devant les dessins de mode. Mon père allait à un congrès à Lyon et voulait qu'elle l'y accompagnât. Elle connaissait ses devoirs, les bons usages et les couturiers qu'il faut : elle revint terrifiée en disant qu'elle n'avait rien acheté, les robes arrivaient à peine au genou et se terminaient tout droit au-dessus des seins, avec juste deux fines bretelles. On leur voit les os, disait-elle épouvantée, et où avait-on trouvé ces faméliques ? Elle exigea de mon père qu'il la suivît dans ses achats. C'est là qu'on découvrit qu'elle avait un très joli corps : les seins menus, la hanche fine, elle était ravissante en robe Charleston et ne s'y habitua jamais. Elle rentra de Lyon couverte de compliments, en hochant la tête et disant que les gens étaient devenus fous. Moi, je trouvais ces robes parfaitement admirables et je ne me suis jamais consolée de les avoir manquées.

— Tu as eu les drapés des années 30, dit Mathilde.

— Malheur ! les drapés ! Le choix du tissu, le tombant, le poids ! Les essayages interminables, les épingles, les bouches armées des couturières, la petite pelote accrochée à la manche, les maladroites qui piquaient dans la peau, les ourlets pendant des heures ! On peut dire tout ce qu'on veut sur la contraception, l'avortement, à travail égal salaire

égal, et je suis bien d'accord : je pense que la libé-
ration de la femme a commencé avec les robes
toutes faites. Tu entres dans une boutique, tu
essaies, tu prends ou tu rejettes : mais le magasin de
tissus, le choix de la couleur, il fallait sortir, juger à
la lumière du jour si elle convenait au teint, aller
quatre fois chez la couturière, d'abord pour lui
porter le tissu, puis deux essayages, et enfin prendre
la robe. Après tout cela, il arrivait que ce fût la
déception, le corsage n'était pas bien taillé, il y avait
un faux pli irréparable, le modèle grossissait la mal-
heureuse cliente. Sur les dessins, les femmes étaient
toujours élégantes. Tu passes la robe, tu vois qu'elle
ne te va pas : je ne savais si elle m'allait que quand
elle m'appartenait irrémédiablement. Ne me parle
pas des drapés : je les ai haïs! Et le devoir d'être
bien habillée : vous ne savez pas ce que c'est, vous
croyez que c'est un plaisir. Le petit chapeau un peu
de travers, c'était à un centimètre près, le col de
fourrure qu'il fallait mettre à l'abri des mites pour
l'été, certaines années le manchon, les bas qui
filaient, ah! comme ils filaient et une paire de
rechange au fond du sac, la jarretière qui claque,
sournoise, au cœur d'une réception. On ne mettait
pas son manteau en courant dans l'escalier car il y
avait au moins six boutons, parfois en diagonale. Et
les coups de téléphone entre dames, car nous étions
des dames : est-ce une circonstance à voilette?

201

Faut-il un décolleté ? Et la gaffe, terrifiante, la robe trop habillée, ou pas assez, les sourires, la bouffée de province qui te monte aux joues et les brûle !

— Ma pauvre, dit Delphine, tu as vécu un martyre !

Elle avait le teint si animé que, lorsque Paul arriva, il lui tâta les joues :

— As-tu de la fièvre ?

— Je m'amuse, dit-elle, je ne m'étais plus amusée comme cela depuis mes dix ans, quand j'avais une amie qui venait dormir à la maison et que nous bavardions jusqu'au matin.

Il ne sembla pas rassuré. Mathilde partit en disant que l'on recommencerait le lendemain soir, elle rentra rieuse chez elle et pleurait après cinq minutes.

— Nous ne nous connaissons pas. Nous ne savons rien les unes des autres. Tu devrais voir Pauline quand elle raconte : elle brille, elle étincelle de gaieté. Pour moi, elle était une vieille dame. Quand j'y pense, elle avait à ma naissance l'âge de ma mère aujourd'hui, mais je ne me souviens d'elle que telle qu'elle est devenue, et si vite ! les cheveux gris, la peau épaissie. Ce soir, je pouvais presque voir une petite fille, un peu frêle, prompte à l'inquiétude mais capable de vigueur, et la jeune femme rapide des années 30. Est-ce ainsi ? Portons-nous tous nos âges en nous-mêmes et qu'ils puissent reparaître ?

Sommes-nous des prisons pour ce que nous avons été?

Le lendemain soir :

— Raconte, dit-elle à Pauline, raconte encore.

Et le jeu continua, créant ses règles. Comment les nommer? Ce n'étaient même pas des confidences. On vit tourné vers soi, on aime, mais dans *j'aime* c'est *je* qui prend le plus de place. Ce fut : je t'aime, qui es-tu? et chacune en écoutant les autres devint curieuse de soi. Moi, cette chose unique : elles sentirent la fragilité d'être et la beauté irremplaçable dont chacun est le lieu. Ce que je suis n'avait jamais existé et ne se reproduira pas. Cette manière-là de sentir, d'accorder les souvenirs, les chaînes légères et changeantes de la mémoire, la couleur des émotions : il y a dans les âmes des régions opaques habitées par d'obscurs dangers, mais aussi des jardins paisibles, de vastes parcs harmonieusement plantés où promener le visiteur en lui montrant les allées droites, les frondaisons balancées par la brise, les chemins imprévus aux surprises aimables. C'est là qu'elles allèrent, voyageuses prudentes qui détournaient le regard des ombres menaçantes. De tous côtés pouvaient monter les brumes maléfiques, l'odeur douceâtre de la mort, en un point trop longtemps fixé on risquait de voir des formes se lever et entamer une danse morne et fascinante. On sait que les larves et les vers grouillent sous l'herbe tondue des pelouses : elles s'en tinrent à la grâce des bordures bien taillées et des rocailles.

Elles revinrent à la voilette et aux règles qui régissent la mondanité. *Cela ne se fait pas* ne se dit plus, elles s'accordèrent à penser que c'est pire car il faut deviner. Le bon ton existe toujours, il y a une manière de refuser un joint ou une ligne qui montre si l'on est fait aux usages. Mathilde expliqua longuement l'art de trouver des habits dégriffés et de ne pas se laisser prendre au faux dégriffé qui déclasse.

— Et le sexe ! l'activité sexuelle est obligatoire au même titre que le permis de conduire, sans quoi on est soupçonné du pire. J'ai entendu dire d'une fille qu'elle est vraiment étonnante : « Elle n'a pas de complexes, celle-là : elle fait une psychanalyse ! » On utilise de nouveaux mots pour exprimer de vieilles idées : je suppose qu'il s'agit d'être audacieuse.

— Je ne l'ai pas toujours été, dit Delphine. Sitôt entrée dans la vie sociale, je me suis trouvée devant un verre de whisky : à la première gorgée j'ai cru qu'on me faisait une mauvaise blague ou que l'on s'était trompé de bouteille. Une telle horreur ne pouvait être qu'une potion pour la toux. J'ai avalé sans broncher, parce que j'avais dix-huit ans et une crainte terrible de paraître godiche. Après quoi, j'ai constaté que les autres invités en prenaient volontiers et même en redemandaient. J'ai dit « Vous aimez ça ? » et on m'a répondu « Bien sûr ». Ce *bien sûr* m'a abattue, j'ai vu briller la Loi, les Commandements et le Chemin à Suivre. C'est alors que je me suis aperçue que dans les films et les romans on buvait tout le temps du whisky. Il aromatisait les passions, calmait les chagrins, signalait impartialement le désespoir et la victoire. On n'allait nulle part sans se voir offrir un verre. C'était le signe des temps modernes. Il fallait. A trente-cinq ans, ma situation professionnelle fermement établie, j'ai estimé que je pouvais prendre des risques et j'ai refusé d'en avaler encore une seule gorgée. Dans le même mouvement, j'ai cessé de fumer : je n'avais pas remarqué, écrasée sous l'oppression, que la mode avait changé et mon audace est passée inaperçue.

— Voilà, dit Pauline, on s'épuise, on se discipline, on serre les dents à se faire des caries et quand après un travail terrible on a vaincu sa peur, la loi n'est plus la même et on n'est pas dans le bon train.

Au début de mai, Mathilde prévint ses amis qu'elle ne serait plus libre le soir, elle allait chez Delphine dès qu'elle avait fini son travail. Elle arrivait vers six heures et croisait Letellier qui partait.

— Alors ?

— Pour l'instant, c'est stationnaire.

Ils se regardaient un instant, l'amant et la fille en sursis, puis Letellier disait « A tout à l'heure » et Mathilde rejoignait sa mère.

Dès que Pauline était là, le jeu reprenait. Raconte. Donne tes souvenirs, donne ta vie. Dis-moi qui tu es pour que je sache qui je suis. Comment as-tu connu mon père, qui était sa mère, quels sont ces gens dont je viens ? Elles étaient insatiables, laisse-moi tout de toi avant de disparaître, donne tout avant la mort, et je le formule de cette manière ambiguë où l'on ne sait plus qui meurt à cause de cette espèce de folie où chacune sentait que la mort de l'autre était aussi sa propre mort. Quand tu ne seras plus là, comment vivras-tu en moi ? Au début Mathilde, la plus jeune et qui devait être la dernière à mourir, fut la plus vorace et Pauline la première invitée à se livrer fut la plus pillée.

— Et toi, comment était ta mère ? demanda-t-elle à Delphine qui resta un instant étonnée. Mais oui, je sais comment j'étais, ou je crois le savoir, on a les souvenirs qu'on peut, mais ta mère, c'est peut-être autre chose que l'idée que je me fais de moi.

Delphine sourit.

— Calme, dit-elle. Tu as toujours été calme. Je ne sais pas d'où cela vient, même quand tu tempêtais, tu gardais un fond de tranquillité.

— C'était la conscience de mon bon droit.

— C'est comme la mer. Au plus fort de la vague, on sait où l'eau retombera. Je savais toujours où te trouver.

— J'y réfléchirai, je crois que tu me fais un grand compliment.

— Voilà, soupira Mathilde, l'ennui, avec des qualités aussi subtiles, c'est qu'il n'est pas dit comment les acquérir. Bonne élève, il suffit d'étudier, amie fiable, il ne faut pas oublier les rendez-vous et les anniversaires. Mais calme ! Comment fait-on pour être calme ? Moi, je bouge toujours !

Il ne faut pas confondre le calme et l'immobilité, etc., elles glissaient gaiement d'une idée à l'autre dans une conversation qui avançait, revenait, se répétait comme si elle allait être sans fin. Elles s'écartaient du sujet, laissaient un récit interrompu, on le reprendrait plus tard, n'est-ce pas ? feignant que nul délai ne les guettait. Le repas cannibalique est censé nous doter des qualités du mort mangé, on a cessé de le pratiquer, en Europe et au XX$^e$ siècle, dans des villes bien approvisionnées où plus personne n'y croit, et cependant chacune essayait d'absorber les deux autres. Pauline savait bien qu'elle ne vivrait plus que quelques années et dans l'adieu à Delphine faisait ses adieux à soi-même : « Voilà ce que j'ai été, voilà ce que j'ai fait » et Mathilde se gorgeait de ses ascendantes pour en nourrir sa vie et plus tard ses enfants.

Quand elle sépare, il est rare que la mort prévienne, c'est toujours après qu'il faut faire le travail, recenser ce que l'on a aimé et dont on ne pourra plus jouir que par la mémoire – si elle y consent. Du temps leur était donné, elles le prirent goulûment.

— Vous riez tout le temps, dit Paul troublé.

Il pensait que sa mère allait mourir et qu'il fallait être grave. Il était seul avec Pauline dont il avait décidé, depuis l'enfance, qu'elle était la personne la plus raisonnable de la famille.

— Nous pleurerons après, dit-elle, quand il n'y aura plus que cela de possible.

Il fut saisi d'étonnement.

— Il y a un temps pour chaque chose. Pourquoi pleurer ta mère quand elle est encore là ? Jouissons d'elle, accumulons les rires et la gaieté, tirons tout le bien que nous pouvons les uns des autres, thésaurisons. Nous en aurons besoin l'hiver prochain.

L'hiver prochain ? C'était la première fois que le délai était si clairement prononcé. Pauline sentit les mots qu'elle avait dits cheminer en elle comme une tornade qui passe et détruit tout. Ce fut une traînée de ruines, un saccage irrémédiable, elle était transpercée par une désolation aiguë qui laissait un sillage de vide.

— Viens, dit-elle, allons rire.

Letellier devinait le désarroi de Paul. Il pensait

que si cet homme avait été son fils, il aurait eu à le secourir. Mais comment parle-t-on à un fils ? Il pensa à son père, cet aimable voisin qui avait accompagné son enfance et n'en tira rien.

— C'est étrange, dit-il à Delphine, il me semble que je n'ai jamais été malheureux. Ne faut-il pas y voir une infirmité ? Ma plus grande souffrance est d'avoir raté les examens de juillet lors de ma première année de médecine, et encore, cela m'a éclairé sur mon erreur, j'ai vu qu'il ne suffit pas de comprendre mais qu'il faut mémoriser. J'ai passé un été désagréable. Je n'ai pas eu de chagrin d'amour. Je crois que sans m'en douter je me suis gardé des sentiments vifs. Pendant dix ans, j'ai vécu dans la passion d'apprendre, et puis dans la jouissance d'utiliser ce que je savais. J'apprends toujours, bien sûr, et je m'en sers : le savoir est un excellent partenaire pour les passions, il est inépuisable. Dès qu'on le désire, il s'offre et ne résiste jamais à un amour sincère. Je crois que je suis un homme si pusillanime que je n'ai jamais rien osé d'autre. Vous êtes, ma pauvre Delphine, le premier risque que j'aie pris dans ma vie.

Elle tendit la main vers lui :

— Au moins, il n'y a pas d'incertitude.

Il se pencha et posa le front sur la paume ouverte :

— Sans vous, j'aurais vieilli gelé.

— Ce n'est pas moi, dit-elle, c'est mon destin qui vous émeut. Il faudra vous en souvenir et ne pas vous tromper de chagrin. Vous avez croisé dix femmes qui me ressemblent. Je sais bien qui je suis, j'y ai beaucoup pensé ces temps-ci : une professionnelle sérieuse et une intellectuelle, j'adore jouer avec les idées, les rapprocher, les cogner l'une à l'autre, en retirer une pour voir ce que ça donne, faire des mélanges et regarder la couleur qu'ils prennent. Je suis aussi une amie attentive et une mère ordinairement bonne. Je n'ai pas de trait particulier. Hors cette mort qui m'a choisie, rien ne fait de moi une personne remarquable. Je ne suis élue que par le trépas. Les fées n'avaient pas mis de présents prodigieux dans mon berceau. Je sens que des esprits superficiels pourraient penser que je reçois mon sort avec courage : ce serait une erreur, car je n'ai pas le choix, qui pourrait pleurer et crier pendant des mois sans fatigue ? Il est vrai que je ne suis pas construite de façon à prendre plaisir aux désespoirs inutiles. Il y a plus d'agrément à se gouverner qu'à devenir un champ de bataille pour des émotions contradictoires.

Il gardait le front posé sur cette main bien large et vigoureuse qui le portait avec fermeté.

— Je vous crois, si vous le voulez, mais vous m'avez rendu différent de ce que j'étais. Honnêtement, je dois avouer qu'il y a moins de confort.

C'était sa visite de l'après-midi. Madeleine attendait toujours son arrivée, puis partait après avoir
remis une bûche dans le feu. Le temps fut si mauvais pendant tout le mois de juin qu'il faisait
sombre comme à la nuit tombante. Les flammes
répandaient une lumière douce et dansante dans la
grande pièce blanche. L'alternance tranquille des
voix, la chaleur et les silences paisibles les entraî-
naient dans une rêverie où l'avenir ne les poursuivait plus. Ils n'avaient guère de passé commun à
évoquer, juste un présent sans sillage et sans
prolongements. Letellier pressa la main de Delphine contre son visage :

— Je retrouve en moi un enfant impatient que
j'avais contraint au calme. Pendant trente ans et
davantage, je me suis si bien discipliné que j'avais
oublié la hâte et la bousculade. Je les retrouve à
votre porte. Je conduis ma voiture avec pondération, je parle à mes patients d'une voix tranquille,
je rassure et j'apaise car je sais bien que c'est la
moitié du métier. J'arrive chez vous, je me gare
posément, j'ai des souvenirs qui me traversent à
propos de coups de freins brutaux et de boîte de
vitesses qui gémit, mais je contrôle tout cela et je
prends le temps de fermer les portières à clé. Je
m'étais fabriqué un rôle d'homme paisible et je
l'avais pris pour moi-même. Voilà que lorsque l'on
m'a dit l'autre jour que vous étiez en haut, j'ai

monté les escaliers quatre à quatre. J'allais à l'ankylose : mon métabolisme s'est modifié car je maigris en mangeant normalement. Il m'arrive de m'endormir en désirant ardemment que vous commenciez à m'aimer. Hier soir je me suis répété vos paroles et j'ai longuement médité sur vos intonations : j'additionnais les signes pour les inter-préter.

— Et si je vous aime, qu'en ferons-nous ?

— Cela m'est égal. Vous n'êtes pas encore assez désintéressée, vous croyez encore que l'amour doit produire quelque chose : c'est la chose en soi. On nous a fait croire qu'il s'agissait d'obtenir de l'amour en retour, d'aller au lit, de se marier, c'est faux, il n'est question que d'entrer en mouvement. J'existe à nouveau, alors que j'étais endormi, je vois le monde, je suis fâché car le temps est gris, la lumière morne, et c'est le mois de juin, on a droit au soleil sur les feuillages épanouis, les aliments ont des goûts que j'aime ou que je n'aime pas, j'avais oublié qu'ils peuvent servir au plaisir. Je suis allé m'acheter des vêtements parce que ceux que j'avais ne me donnaient d'agrément ni par la matière ni par la couleur. J'ai cinq sens et des émotions : c'est pour en jouir.

— Alors, c'est que j'aime aussi, dit-elle, car je me reconnais dans ce que vous dites.

Elle souriait.

— C'est aussi que je deviens si facile à aimer : tout me charme, je suis sans réserve et sans réticence, je n'ai plus rien à cacher, je suis comme les petits enfants quand ils sont encore innocents, et cela me donne certainement de la grâce. Ne plus avoir d'avenir permet de ne plus mentir, sans quoi il faut toujours prévoir, tenir compte, si je refuse ceci, si je montre cela, on m'en voudra, je ferai de la peine. Avez-vous remarqué que, lorsque l'on se fâche, c'est toujours pour des raisons qui ont à voir avec l'avenir ? Et puis comment blesserait-on avec si peu de temps pour se réconcilier ? Et quelle blessure autre que mourir puis-je faire ces temps-ci ?

— Aucune, dit-il.

— Votre chagrin sera le plus difficile à vivre. Mes enfants et ma mère savent bien ce qui leur meurt là. Mais vous ? Nous n'avons rien pu rêver, il n'y a pas eu la moindre incertitude, aucun espoir à nourrir que la déception guette, nous n'avons pas de passé.

— Peut-être n'aurai-je pas de chagrin, dit-il. C'est concevable : je ne m'étais nourri que de raison et de bon sens, et puis je me suis un peu saoulé. Je reprendrai mon régime habituel.

— Tout juste une petite gueule de bois ?

Elle le regardait avec attention, je crois qu'elle voulait être rassurée. Il écarta doucement la main de Delphine, la retourna et baisa cette paume toute chaude de sa propre peau.

—Je vous le promets. Presque rien. Je serai parfois traversé par une pointe de nostalgie : dans ma vie calme, cela me fera de petits moments romantiques. J'envisage même avec plaisir l'une ou l'autre larme à l'œil : quel bénéfice, pour un homme qui depuis trente ans n'avait plus eu les yeux rougis que par la fatigue !

Elle se détendit, plaisanta :

—Vous vous trompez, je laisserai en vous une trace ineffaçable, vous traînerez désormais une existence vide de sens, avec pour seul but de me rejoindre dans l'au-delà.

—Je vous le promets, répéta-t-il gaiement.

Ce soir-là, Pauline raconta les cousins. Ils étaient partis pour l'Angleterre en 40 et, les jours de commémoration nationale, ils portaient une extravagante série de médailles qui suggéraient de hauts faits mais sans consentir à sortir de chez eux pour participer à la cérémonie du Soldat Inconnu. Après l'armistice, ils étaient rentrés s'asseoir auprès de leur mère exaspérée. « Ils disent qu'ils prennent soin de mes vieux jours, où je ne suis pas encore, et je dois leur beurrer la tartine tous les matins », ronchonnait-elle et mourut avant la vieillesse en assurant que c'était de colère contre ces fils abusifs.

—Il y a dix ans, Amédée a fait une arthrite du genou et a dû abandonner le vélo. Alors, ils ont acheté une voiture : j'ai découvert avec stupeur qu'ils savaient parfaitement conduire. Tout au plus si, ayant appris quarante ans auparavant et en Angleterre, ils devaient se concentrer pour ne pas rouler à gauche. Quand ils sont revenus héros après l'offensive von Runstedt, les jeunes filles les regardaient avec émotion : je jure qu'ils se signaient. Le siècle se déroulait à leurs côtés, ils ne s'en apercevaient pas. Un jour, n'y tenant plus, vous connaissez mon vice, je leur ai offert un moulin à café électrique. Ils m'ont remerciée, l'ont rangé avec soin et ont attendu que le moulin à manivelle de leur mère se casse irréparablement pour le déballer. On ne fait plus des vies comme ça.

— Détrompe-toi, dit Mathilde qui raconta Maryvonne, jeune fille sans maquillage qui parvient à préserver son ignorance parmi les médias déchaînés des années 90 et la prend pour de la pureté. Elle m'exaspère parce qu'elle est ma bonne action : je dîne fidèlement une fois par mois avec elle, dans un restaurant aussi peu coûteux que possible car elle tient à faire des économies. Elle ne prend jamais que de l'eau minérale, elle craint que le vin ne lui gâte le teint, qu'elle a certes fort joli, mais il faut qu'elle en parle pour que l'on s'en aperçoive à cause de son air de timidité qui donne l'impression qu'elle est sans attrait. Elle est professeur de français et ne connaît pas très bien la grammaire parce que tout savoir lui fait un peu peur. L'autre jour, ses élèves discutaient si l'on dit « cela me concerne » ou « je suis concernée » : elle ne savait pas. Elle a couru au Grevisse, mais c'est toujours celui de sa mère, qui date d'avant le franglais, et n'a rien pu en tirer. Son petit Robert, qui est plus récent, dit que l'emploi au passif ou au participe passé est critiqué par Littré. Cela signifie-t-il que Robert le désapprouve ? m'a-t-elle demandé avec anxiété. Je lui ai dit : « I am not concerned » puis je l'ai regretté car j'ai dû m'expliquer pendant vingt minutes. Les cousins ont trouvé le moyen de rester hors du siècle, mais ils habitent la campagne, Maryvonne fait cela dans une grande ville où elle travaille avec des filles de quinze ans, en 1999. Elles sont parvenues, il était question de la Princesse de Clèves, à lui demander ce qu'elle pensait de l'avortement. La pauvre s'est dérobée comme elle a pu, une des filles a déclaré avec fermeté que l'avortement est un faux problème, que c'est au niveau de la contraception que la question se pose et Maryvonne voulait avoir mon avis. Je lui ai dit que je fais l'amour depuis mes dix-sept ans et que je n'ai pas d'enfant. Elle est devenue écarlate et au fond elle a tort de ne pas prendre de vin, quand son teint s'anime ainsi elle est presque jolie. Tout cela se passe de nos jours chez une fille qui achète *Marie-Claire.*

— Elle ne le lit pas.

— Je crois que si, mais les mots ne passent pas la rampe. Elle est venue regarder la télé chez moi, nous n'avons pas vu le même film. Elle n'est pas bien sûre que le cinéma fasse partie de la culture, mais c'était un des *Claudine* et c'était Colette : elle l'avait lu, et n'avait pas compris qu'il y est question d'homosexualité. J'étais étonnée : Mais enfin, on la voit souffrir pour son institutrice ! Elle a rougi, elle rougit tout le temps : Ah ! je croyais que c'était platonique.

— Tu embellis le tableau.

— Non, une vitre fine et opaque la sépare du monde. Tout est flou. Elle ne sait pas bien si elle croit encore en Dieu, va voter par civisme mais rend un bulletin blanc sans comprendre qu'ainsi elle donne sa voix à la majorité, et suppose qu'elle se mariera mais ne relie pas le mariage avec le fait d'accepter l'invitation à dîner d'un homme. Elle refuse de sortir avec un garçon si elle ne le connaît pas bien et quand je lui demande par quels moyens elle le connaîtra, elle ouvre de grands yeux. Au fond, elle me fascine, je me demande comment elle fait pour ne rien comprendre.

— Peut-être est-elle sotte, dit Delphine.

— Qu'appelle-t-on sottise ? Les cousins sont-ils sots ?

— Les cousins sont anciens combattants, catho-

217

liques et provinciaux : une seule de ces vertus me suffirait, dit Pauline, ils ont les trois et ils viennent toujours à deux. Voilà vingt ans que je cherche le moyen de me débarrasser d'eux. Quand je dis que je suis fatiguée, ils apportent le café dans un thermos, avancent un fauteuil et m'invitent à ne pas prendre la peine de parler, ils me raconteront toutes les nouvelles. Ils ne peuvent pas concevoir qu'ils m'ennuient car ils ne conçoivent pas l'ennui. Quand ils n'ont plus rien à faire et qu'ils ont fini de lire le journal paroissial, ils prient. Dieu est le compagnon de tous leurs instants. Je ne voudrais pas être à Sa place : Il ne peut pas choisir Ses fréquentations.

Elle avait fort bien mis les majuscules en parlant.

— On nomme sottise les modes de raisonnement avec lesquels on n'est pas d'accord, dit Delphine.

— C'est que Maryvonne ne raisonne pas : elle réagit et ne sait pas à quoi.

Maryvonne va leur faire trois soirées, où Paul les regarde avec stupeur. Se mariera-t-elle ? Il faudrait lui trouver un homme de son siècle, qui n'est pas le nôtre. En vérité, c'est une marginale, mais elle est à l'autre extrémité de la courbe de Gauss, de sorte qu'on ne la reconnaît pas pour telle. Si elle était capable de défendre une idée, cette idée aurait deux cents ans. On suppose qu'elle pourrait argumenter sur la révocation de l'Edit de Nantes : la question royale qui a soulevé le pays en 1950 est trop proche·pour qu'elle ait une opinion, en quoi elle diffère des cousins qui ont une opinion sur tout et pensent comme le journal paroissial avant qu'il ne soit sorti, aussi sont-ils sûrs d'inventer leurs idées. L'idée d'inventer jetterait Maryvonne dans la terreur, Mathilde en rapporte dix exemples qui étonnent Pauline et Delphine et soulèveraient l'incrédulité si Letellier n'apportait sa confirmation.

— Vous croyez connaître le monde parce que vous lisez les journaux et que vous fréquentez des gens qui pensent comme vous, mais moi je vais ailleurs et Maryvonne ne m'étonne pas. J'entre dans des familles qui ne vivent pas sur la même planète que nous. On y croit que le sida s'attrape sur la lunette des cabinets, que les antibiotiques fatiguent et que la masturbation met la moelle épinière des jeunes garçons en danger. Je ne démens plus : je l'ai fait, je créais des doutes sur ma compétence, ce qui nuit aux guérisons, et je prescris des vitamines, qui viennent à bout de tout. Hier soir une femme de trente-cinq ans m'a demandé avec inquiétude si je voulais bien expliquer à sa fille les réalités de la vie car la petite, qui a treize ans, n'a rien compris au cours d'éducation sexuelle. Elle est si pure, a dit la mère, me montrant ainsi qu'on fait encore des Maryvonne, et j'ai reçu cet après-midi un jeune homme de vingt-trois ans qui a bafouillé pendant un quart d'heure avant d'oser me demander un médicament contre les pollutions nocturnes.

— Au nom du ciel! pas de vitamines! s'écria Mathilde.

Et Paul se laissa prendre au jeu, puisque Letellier le cautionnait. Il raconta comment, à l'hôpital, il avait empêché in extremis un gynécologue de vérifier la virginité d'une fille qui accusait son père de l'avoir violée.

— Elle avait l'air tellement sûre d'elle et peu troublée que je me suis méfié. La mère était en larmes. Le psychiatre à qui je sers de stagiaire me recommande toujours de poser des questions naïves, alors j'ai demandé à la mère pourquoi elle pleurait. Refléchissez : devant une telle situation cela exigeait de l'audace. — C'est que c'est la troisième fois. — Comment ça? qu'il la viole? — Non, que je la surprends avec un garçon. — Mais, et le père, là-dedans? — Oh! ça! c'est pour qu'on l'examine. Vous comprenez, plus personne ne veut vérifier une fille, il faut bien que je dise ça. — Et la petite est d'accord? — Hé! si elle ne l'était pas, ça voudrait dire qu'elle y est passée, non?

Suivit une longue discussion sur les implications morales de l'histoire et le destin amoureux d'une demoiselle si étrangement surveillée. Puis on revint à Maryvonne : que pouvait-on faire pour elle?

Delphine suggéra que Mathilde la conduisît chez le coiffeur et lui apprît à se maquiller.

— Si elle devient visible, peut-être se verra-t-elle ?

L'idée les enchanta, bien moderne, que c'est le regard de l'autre qui nous sert de miroir.

— Cette fille a une vie, tout comme chacun, dit Pauline, et si personne n'y prend garde, elle ne s'en servira pas. Je la vois traverser en silence, elle ne fait pas une vague, ne laisse pas de trace. Si elle a repeint son appartement, après elle on retapisse, aurait-elle planté un clou qu'on rebouche le trou, c'est comme si elle n'avait jamais été là. Cela est monstrueux.

Puis s'arrêta net, se rendant compte qu'elle n'avait pas prévu le mouvement de sa pensée et qu'elle parlait de la mort, qui toujours nous succède. Delphine reprit doucement :

— Il faut laisser sa marque. Un enfant, un mur ou un arbre : une trace. Je ne veux pas avoir été une femme sans conséquences.

# 8

## *Hostias*

Le temps s'améliora dans les tout derniers jours de juin, il fut enfin possible d'ouvrir les fenêtres. Pendant un moment Pauline et Mathilde s'astreignirent à mener leurs activités ordinaires, c'est-à-dire que l'esprit de Mathilde errait autour des calculs qu'elle était censée faire et que Pauline, dans les librairies et les expositions, regardait les titres et les tableaux sans les voir, puis attendait à une terrasse de café l'heure où il lui semblait légitime de rentrer. Delphine savait bien qu'elles se forçaient, mais rien n'en fut dit. Elle tenait à ces moments de solitude et à s'écouter penser à propos de ces derniers temps de sa vie. Je n'ai plus d'événements à attendre, se disait-elle. Avant, il pouvait toujours se passer quelque chose, un voyage, un homme, une surprise, mais je ne peux plus rien accueillir. Le ciel était un peu brumeux, les bruits avaient pris la matité particulière aux belles journées chaudes. Dans le jardin attenant, deux voisines conversaient. Elles échangeaient des nouvelles, chacune parlant à l'autre de gens qu'elle ne connaissait pas :

— Comment va votre amie Betty ?

— Mieux. Sa fille est enceinte, elle est bien rassurée.

Mais qui est rassurée, la mère ou la fille ? Ou la voisine qui ne connaît aucune des deux mais trouve bon qu'on la tienne au courant ? Pourquoi demande-t-on des nouvelles de gens avec qui on n'a pas de liens ? Chacune des deux voisines disait à l'autre qu'elle se souvenait d'elle et de ses soucis. Ainsi allons-nous, cherchant dans la mémoire des autres des preuves que nous existons. J'aimerais que l'on me demande comment va Delphine Maubert, cela me garantirait que l'on sait qui je suis et ce qui occupe ma pensée. Peut-être qu'en ce moment quelqu'un que je ne connais pas s'enquiert de moi, pensait Delphine en écoutant parler de Betty, et on lui dit que je ne vois plus personne et qu'il me reste peu de temps. Il y a des commentaires, des hochements de tête, et puis on parle d'autre chose. Ces deux femmes se moquent bien de ce qu'elles disent, elles n'ont d'autre projet que de parler et de se convaincre que quelqu'un les écoute. Sommes-nous tous mêmement asservis à n'être assurés d'exister que si on nous le dit ?

Elle ferma les yeux. Ces temps-ci, elle cherchait à masquer l'affaiblissement. Cela ne trompait pas Letellier, qui la soumettait à des examens réguliers et elle aurait craint, en laissant voir les accès de lassitude, d'empêcher que le jeu ne se poursuivît. L'ombre prenait possession de son visage, elle avait gagné les paupières, s'était emparée des joues creuses, envahissant lentement la femme qui lui était promise. Le matin, devant le miroir : Mais j'occupe de moins en moins de place ! Je ne maigris pas : je m'évapore, je cours au squelette ! se disait Delphine. Depuis quelques semaines, elle avait le teint de son état, mais n'en voulait pas et ne se montrait que brunie par trois couches de crème, et les cils noircis. Personne ne la voyait sans maquillage, le moment vint où elle se fardait avant d'être devant le miroir, car elle n'aimait pas ce visage de morte qui dévorait le sien. Elle savait où elle allait, mais je crois qu'elle ne voulait pas détruire la dernière illusion et rêvait que tantôt, demain, elle reverrait le visage de sa jeunesse, celui d'antan, lorsqu'elle avait des siècles devant soi.

Peut-être somnola-t-elle quelques minutes. On n'entendait plus les voisines. Elle pensa que bientôt Pauline et Mathilde rentreraient et qu'elle allait redevenir gaie, attentive, prête à tous les rires. Que je le trouve trop long ou trop court, que je m'ennuie ou que je m'amuse, cela est bien étrange,

le temps passe au même rythme, il a son déroulement propre qui ne dépend pas de moi. Les jours
défilent, les nuits glissent subrepticement dans le
noir, je reste plantée au bord de ma vie, spectateur
impuissant de mon temps qui s'en va. Quand j'étais
petite, c'était toujours «Jeudi ne viendra donc
jamais», maintenant je n'ose plus être impatiente,
souhaiter qu'il soit cinq heures et que Letellier
arrive, tellement ce sera vite fini. Le métronome
m'épouvanterait : il bat son rythme et puis s'arrête.
Je le lançais du doigt, je le regardais attentivement
parcourir son cycle, puis je recommençais. Moi, je
n'ai qu'un parcours. On n'est *je* qu'une fois : comment cela pourrait-il se comprendre ? Depuis des
semaines, j'essaie de concevoir qu'on meurt. Toujours on déclenche le métronome, toujours il
s'arrête, et la fois d'après, ce n'est plus moi.

J'ai vécu sans escales et je meurs bien trop vite. Je
m'arrêterais volontiers mais voilà que, épuisée, je
tombe la face contre terre, sans forces pour relever
la tête et regarder autour de moi.

Ah ! Comme je mens ! Je suis tellement furieuse de
mourir, je mens comme on donnerait des coups. La
vérité est que je suis étendue sur un divan, il fait
beau, j'ai une couverture légère et chaude à ma portée car je suis devenue si frileuse, j'écoute, je ris, je
réponds, je fais partie d'une conversation futile qui
me charme. Je m'amuse et je suis folle de rage, com-

ment s'arrange-t-on l'âme avec des humeurs si oppo-
sées ? Je devrais fulminer, tempêter, je ne sais comment faire. Les mots me manquent. C'est aussi qu'ils
tourneraient poignards. Je crois que je n'ai pas
l'invective facile, je suis une personne aux manières
courtoises, à la parole mesurée, je n'ai pas de langage
pour la situation violente où mon destin aboutit.

Ah ! si je mourais sur un lit d'hôpital, bardée
d'aiguilles, ouverte et recousue, avec des tuyaux
dans tous mes orifices, branchée sur des cadrans
électroniques ! Voilà qui serait cohérent avec l'idée
d'une maladie qui tue. Je souffrirais très dignement
et si parfois je faisais la grimace, cela ne surpren-
drait personne. A jouer comme nous faisons, ma
mère, Mathilde et moi, nous nous sommes mises
dans une situation insensée et qui comporte tant de
délices que nous ne voulons pas en sortir, nous nous
saoulons les unes aux autres. Je ne m'en inquiète
pas, puisque son terme est inscrit, mais dans cette
espèce de folie tendre, où loger ma fureur ?

Parfois les portes de la mort ne s'ouvrent qu'en
grinçant, et le nouvel arrivant tordu de souffrance
doit les forcer pour passer. Je vais mourir avec grâce,
sans cris, sans pus, sans sueur, une flamme qui
s'éteint, je n'aurai même pas un dernier grésillement
quand la mèche brûlante touche la cire. Rien, pas un
murmure, la dernière note d'une musique fait vibrer
l'air, on l'entend encore, on ne l'entend plus.

Letellier vint plus tard que d'habitude, une urgence l'avait retenu, et resta peu.

—Je serai là pour le dîner.

Il croisa Pauline en partant et fit l'homme pressé : les derniers résultats de laboratoire étaient mauvais. Mais pourquoi me ruer à le dire, pensait-il, cela se verra vite. Comme il se doutait qu'il mentait mal, il préférait courir.

Mathilde arriva haletante et joyeuse avec un gros paquet enveloppé de papier brun.

—J'ai trouvé la caverne d'Ali Baba, dit-elle. C'est une boutique de linge ancien. Il y a des draps de lit brodés, beaux à y faire ses enfants, des nappes de vingt-quatre couverts pour les communions solennelles et j'ai acheté des chemises de nuit qui ont certainement plus d'un siècle.

Elles avaient des volants, des plissés, des manches longues et des cols bien hauts pour préserver du moindre courant d'air. Elles allaient jusqu'aux pieds, couvraient, emballaient, enveloppaient, on pouvait s'y blottir comme dans une tente, y passer au chaud des hivers tranquilles, de molles maladies de langueur, ou recevoir, les cheveux défaits, un amant ébloui par les prémices de l'intimité. Elles parlaient d'un autre temps, de soirées passées l'aiguille à la main, de jeunes épouses effarouchées, on ne sait pas qui viendra occuper le rôle de mari, mais le trousseau est prêt, la mariée est parée et quand le mâle sera passé on pourra, enfant après enfant, loger sans peine le ventre distendu dans la robe de nuit des noces.

— Seigneur! dit Pauline, je crois que ma mère en avait encore de semblables mais qu'elle les avait mises au rancart.

— Nous les porterons, déclara Mathilde. Adieu les nylons ridicules qui n'ont pas de poids, les pyjamas austères qui vont bien pour les deux sexes, nous allons dormir dans de la batiste et du linon. Je pense qu'il est certes plus intéressant de faire de la physique au XX$^e$ siècle, et finissant, qu'en 1850, mais pour la chemise de nuit, le XIX$^e$ me paraît imbattable. Voilà du vêtement! Brodé, incrusté, ajouré, inutile. Hors la pudeur, je ne vois pas la nécessité de se vêtir pour dormir quand on a suffisamment de couvertures : si l'on décide d'être pudique, il ne faut pas de demi-mesures.

— Nous serons ravissantes, dit Delphine.

— Essayons-les avant le dîner.

— Allez-y sans moi, dit Pauline. Je vous rejoindrai. Je ne veux pas me voir dans cela. Je risquerais de me souvenir de moi-même, et j'aime mieux m'en passer.

Mathilde allait insister, Delphine l'en dissuada d'un geste.

— C'est absurde, elle est encore belle, dit Mathilde quand elles furent dans la chambre.

— C'est *encore* qui change tout. Laisse-la en paix.

Delphine s'assit à la coiffeuse et se regarda : l'abondance des volants et des plis religieuse dissimulait son amaigrissement, la blancheur lumineuse de la batiste lui avait toujours convenu. Mais je suis belle! se dit-elle et une grande houle de chagrin la submergea. Je suis en train de mourir, je joue, je ris, mais je meurs! Ce sont les dernières semaines de ma vie et mes derniers jeux. Mes cheveux sont trop longs pour la coiffure que je me fais, que sert de les couper et pourquoi ai-je fardé mes yeux qui bientôt ne verront plus? Je regarde une femme vivante parée d'un vêtement absurde : c'est ma mort qui me regarde. Elle porta les mains à ses joues, sentit les os des pommettes et gémit d'horreur. Mathilde la trouva assise bien droite devant le miroir, les yeux pleins de larmes et qui, pour la première fois, ne priait pas qu'on l'excusât. Les deux femmes se regardèrent silencieusement, tout à coup la vérité les assaillait, les rires et les jeux étaient des mensonges, des rituels qui devaient écarter l'abomination, l'imminence de la terreur, le changement brutal qui attaque un corps vivant. Mathilde posa la main sur l'épaule de Delphine, sentit, à travers le tissu la tiédeur de la peau et se souvint des mains glacées de son grand-père mort qu'elle avait voulu toucher quand elle avait quatorze ans. Il en serait ainsi, elle sut qu'elle porterait les doigts sur le front de sa mère, qu'elle laisserait le froid les pénétrer, que même elle se pencherait et, joue contre joue, incrédule, tenterait de la ramener à la vie. Elle connut d'avance le désespoir impuissant qui la saisirait devant l'absence définitive de réponse, les violents sanglots qui lui noueraient la gorge, la colère et le refus inutiles. Delphine qui la regardait la vit pâlir et ce fut comme si Mathilde lui disait « Oui, tu meurs ». Elle sentit la vie se déchirer en elle et comprit que, depuis des mois, elle attendait confusément d'aller mieux. Sans doute le condamné dénie toujours la sentence puisqu'il ne crie de terreur qu'au pied de l'échafaud. Elle y était. Quelle mort étrange, se dit-elle, je ne souffre pas, je n'ai pas de fièvre, aucune plaie ne me taraude : je m'épuise. Je meurs de fatigue et toujours il y a en moi la certitude obscure que, lorsque j'aurai dormi, j'irai mieux. Mais je mens, le sommeil ne me guérira plus. J'achève mon parcours.

Elle inspira fortement car elle était vite à court d'haleine et sentit les larmes couler sur ses joues. Mathilde serrait si fort son épaule qu'elle lui faisait mal.

C'est ainsi que Pauline les trouva, l'une crispée et l'autre baignée de pleurs. Elle avança lentement vers les deux femmes qui ne bougeaient pas et vit la main de Mathilde : les tendons saillaient sous l'effort. Doucement elle la prit, décrocha les doigts un à un, attira Mathilde contre elle et caressa l'épaule meurtrie de Delphine. Pendant un moment bienheureux, il n'y eut pas de pensées en elle, juste les gestes anciens, serrer un enfant contre soi, essuyer une joue.

Elles ne portèrent pas les chemises de nuit.

Ce soir-là, elles dansent de nouveau devant l'horreur qui dévore, mais il me semble que leurs rires sont trop aigus et que parfois une crispation roidit leurs mouvements. Puis la souplesse revient, elles déploient de légers voiles qui flottent dans la brise, des fleurs parent leurs cheveux, les harpes et les flûtes résonnent doucement et le crabe avance de biais, rongeant ce qu'il rencontre. Elles évitent de porter les yeux vers le monstre qui gagne du terrain et le champ de leur regard se rétrécit d'heure en heure. Parfois elles se figent un instant, n'osent plus tourner la tête, la peur galope. Alors elles se droguent l'une à l'autre, elles se shootent à cet amour mortel qui est toujours disponible entre les mères et les filles, dans lequel on peut se noyer, au délire exquis de la similitude, à l'oubli délicieux de toute différence qui certes les rendrait folles si le délai n'était si court. Delphine se saoule et ne se souvient plus des larmes récentes. Si c'était la douleur physique, on ne lui compterait pas la morphine, on dit que les cancéreux qui ont mal meurent toxicomanes mais tranquilles. Sous le mouvement léger des voiles et des rires, si l'on fronce les paupières pour aiguiser le regard, on peut voir que les portes noires sont grandes ouvertes, par instants une fine brume s'en échappe, si vite dissipée que l'on peut prétendre n'avoir rien vu, c'était une fleur qui tombait, l'ombre d'un nuage. Intoxiquées comme elles sont, leurs pupilles doivent avoir la taille d'une tête d'épingle, ou au contraire être dilatées à manger l'iris, je ne sais pas, en tout cas leur vue est brouillée, elles parlent du passé et feignent qu'elles ont un futur. Par moments Mathilde troublée se souvient de sa main sur l'épaule de sa mère et pense à la marque qu'elle a dû y laisser, puis elle secoue la tête. Paul les regarde, se dit qu'elles sont inconscientes, peut-être est-il jaloux de ce qui les drogue? Il sent obscurément qu'elles ont raison. A quoi lui sert sa sagesse? Il a le ventre noué. Il est comme celui qui ne boit pas quand tout le monde est ivre, il s'accroche à la sobriété et en éprouve une sourde envie. Il arrive qu'il s'égare et ne sache plus qui va mourir, alors il est pris de peur, il les voit, rieuses et tendres, toutes les trois cadavres et quand elles se confondent délicieusement l'une avec l'autre, s'il les confond aussi c'est pour la terreur. Et cependant il connaît qu'elles construisent en lui une image prodigieuse, un mythe radieux, ces trois folles qui dansent ensemble et que, plus tard, quand la ronde se défera, qu'il se retrouvera devant Pauline et Mathilde, devant sa grand-mère et sa sœur, devant deux femmes endeuillées, sombres, les yeux fatigués par les larmes, il pressent qu'il se sentira amputé et qu'il cherchera en lui, pour se soutenir et les soutenir, le souvenir de leur danse et de leurs rires. Alors il leur tend les verres d'eau pure qui les saoule et se nourrit comme il peut à leur folie.

# 9

## *Sanctus*

Le 2 juillet elle ne descendit pas. Elle s'éveilla mal à l'aise, oppressée, et chancela lorsqu'elle voulut sortir du lit. Paul fit aussitôt ce qu'il fallait, puis appela Letellier qui la trouva pâle et effrayée.

— Déjà? dit-elle.

Il s'assit et la regarda longuement avant de répondre.

— Je ne sais pas. Le temps se raccourcit.

Elle ferma les yeux.

— Tout cela était donc vrai? Ce n'était pas un jeu? Je meurs? Ah! vous savez bien que je n'en ai jamais douté, d'où vient que je sois surprise? Je ne sais pas ce que je sais.

Elle secoua violemment la tête puis chercha à reprendre son souffle. Il y avait quelque chose de strident dans sa voix.

— On perd son temps, on perd sa vie. Je ne veux

plus m'ennuyer une seconde. Je dévore le temps et je reste affamée. Ne me quittez pas.

Puis elle chercha la main de Letellier, serra.

— Voilà. C'est tout. Donnez-moi quelques instants et je vais redevenir calme, je le sais bien. Je ne le ferai même pas exprès.

Elle resta silencieuse. Elle était pâle et un peu haletante, Letellier lui prit le pouls, qu'il jugea faible. Il sortit une ampoule de sa trousse et prépara une piqûre.

— Apaisez-vous, dit-il, ceci n'est qu'un malaise.

— Je me moque d'un malaise. Je ne suis pas contente de moi. Pendant deux minutes je crois que j'ai perdu la tête. Je l'ai retrouvée, mais c'est pour être vexée. On dirait que je fais semblant de croire que je suis malade et qu'à la moindre occasion la vérité montre le bout du nez. Je suis en désordre.

Il serra le garrot, chercha la veine.

— Je crains de tout gâcher. Ne voyez-vous pas qu'il y a du danger ? Croyez-vous que je puisse tolérer les cris et les affolements ? Je dois à Paul et à Mathilde – je ne sais comment nommer cela – une fiction ? Ils porteront toute leur vie le souvenir de cette mort, je veux qu'elle soit gracieuse. Le mot est-il suffisamment léger ? De temps à autre, je ne puis empêcher ma colère, ni ma révolte, et je me dis que vivre n'est qu'une illusion entre rien et rien. Mais ils sont dans l'illusion, où ils ont à passer un temps que je leur souhaite aussi long que possible et je ne veux pas les forcer à regarder en face la vérité, qui est d'une incroyable futilité. A ras de la mort, l'intérêt que l'on porte à sa vie semble absurde, voilà une pensée qui n'est pas bonne à avoir avec cinquante ans devant soi, on se roulerait en boule dans un coin pour attendre que la plaisanterie cesse. Et ces idées-là ne sont-elles pas du dépit pur et simple? Mais je ne veux pas non plus leur montrer mes regrets, qui sont si aigus, et leur infliger le poids de ma tristesse, ils auront la leur. Je vous dis qu'il n'y a que la légèreté et les rires qui conviennent à ma situation. C'est un devoir d'état, il faut que vous m'aidiez à le remplir.

Elle avait l'air torturé.

— Que me demandez-vous?

— Je ne sais pas. Si. De la sévérité. Ne soyez pas indulgent. Si je faiblis, ne me dites pas que c'est naturel. Reprenez-moi. Je veux votre regard sur moi jusqu'au bout, et qu'il soit rigoureux. Ecartez-les tous si je tremble. Avertissez-moi si je manque à la coquetterie.

Elle pleurait, maintenant, et Letellier la prit dans ses bras. Elle était légère et souple comme un enfant confiant.

— Je me fais peur, chuchota-t-elle, je me fais peur.

Lorsqu'il sentit qu'elle se calmait, il la déposa doucement sur les oreillers.

—Je suis si fatiguée. Mon état ne semble pas permettre les grandes émotions. Je crois que je vais dormir.

En bas, Paul et Mme Ferrand l'attendaient avec les mêmes questions.

— Combien de temps ?

Il leur répondit mêmement qu'il ne savait pas, ainsi que les autres choses qu'il convenait de dire. A midi, Delphine qui se sentait mieux protesta qu'elle ne voulait pas vivre au lit et Paul la porta au salon. On la sentait si fragile qu'il eut envie de pleurer et quand elle plaisanta sur l'interversion des rôles il comprit tout à coup l'utilité du rire et entra dans le jeu. Mathilde arrivée, ils déjeunèrent tous les quatre autour du divan, puis Paul partit présenter un examen. Après le repas, Delphine se sentit de nouveau fatiguée et on la laissa seule. Comme il faisait beau, Mathilde alla s'étendre au soleil. Elle partit silencieusement un peu avant deux heures et se rendit à son bureau pour négocier un congé supplémentaire, puis passa voir Louis et se faufila entre deux étudiantes afin de pleurer quelques minutes auprès de lui. Lorsqu'elle rentra, elle trouva Delphine encore somnolente. A la cuisine, Pauline pressait des oranges.

— Elle a tout le temps soif.

Les repas devinrent une affaire ennuyeuse et fatigante. Madeleine faisait des juliennes de légumes et ne disait plus que la truite était au bleu alors qu'elle n'était qu'au court-bouillon, mais Delphine pouvait à peine prendre quelques bouchées. Mathilde la guettait avec de petits mouvements de bouche et un regard implorant, comme font les mères quand elles nourrissent des bébés difficiles, elle se détournait sitôt qu'elle s'en rendait compte. Pauline acheva sa traduction et referma son ordinateur. Delphine ne retrouvait sa vivacité que le soir, pour une heure ou deux, et la folie les réentraînait, sous l'œil calme de Louis. Paul avait souvent envie de fuir devant ces trois femmes engrenées, poupée russe, Matriochka, mais il ne cherchait plus à les séparer, puisque la mort était si proche.

Elle dormait trop. Letellier arrivait à cinq heures, elle sortait à peine d'un sommeil qui lui semblait profond comme un coma. Il y eut des journées feutrées, on parlait à voix basse, on marchait sur la pointe des pieds, tout juste si on ne refermait pas les rideaux.

— Je suis dans la brume, dit-elle à Letellier, ne pouvez-vous pas me donner quelque chose qui me réveille ?

Il ne pouvait pas.

La ronde se défit peu à peu. Mathilde essaya encore de jouer, mais la tante religieuse et Maryvonne n'inspiraient plus. Le silence retomba. La folie les quitta doucement. Ce furent les dernières vagues de la marée qui glissent sur la plage, puis l'eau disparaît dans le sable, ou bien les ultimes frémissements du vent lorsque la tempête se termine et que les branches agitées s'immobilisent enfin. Les journées devinrent toutes pareilles, et bientôt les semaines. Paul passait l'un après l'autre ses examens, qui le protégeaient un peu, mais ils s'achevèrent et il fut proclamé médecin. Letellier ouvrit des bouteilles de champagne, il y eut un moment de gaieté, puis la dernière soirée arriva.

Ils sont réunis dans le salon. Ils se taisent. On n'entend que le frémissement des flammes, car il fait de nouveau froid et pluvieux. Parfois, une bûche s'effondre. Je les regarde. Pauline a les yeux clos et cet air un peu dur que le chagrin donne souvent aux visages âgés. Elle est fatiguée. Je sais qu'elle vivra encore plusieurs années, elle verra les filles de Mathilde qui ne comprendront que bien plus tard qu'elle n'était pas leur grand-mère mais leur arrière-grand-mère. Mathilde serre fortement la main de Louis. Elle ne tiendra pas le journal de la famille et ne s'en apercevra que dans quinze ans, lorsqu'elle racontera la mort de sa mère à ses filles. Paul est figé. Il se mariera, mal une première fois, passablement ensuite, mais il sera toujours un peu jaloux de sa sœur dont il pensera qu'elle a mieux

240

choisi qu'il n'a su le faire. Letellier restera en relation avec Pauline jusqu'à ce qu'elle meure, mais
après il perdra peu à peu Paul et Mathilde de vue et
tombera comme il l'a prévu, entre deux consultations, sans avoir pris le temps d'y penser. Madeleine qui pleure doucement restera au service de
Mathilde qui va habiter la grande maison blanche.
C'est elle qui, demain, rangera le salon. Elle prendra le verre où Delphine a bu une dernière fois et le
portera à la cuisine, hésitant à le plonger dans l'eau
savonneuse comme si quelque chose de la vivante y
était encore inscrit, qu'elle va effacer. Tout au long
de cette journée-là elle sera poursuivie par la même
impression, que Paul et Mathilde auront plus tard,
au retour de l'enterrement, lorsqu'ils iront dans la
chambre ouvrir les fenêtres, défaire le lit, que
Mathilde assise à la coiffeuse de sa mère réunira les
pots, les tubes, les flacons dans un sachet, ou que, à
la salle de bains, elle rassemblera les serviettes, le
dernier linge, pour le porter à la buanderie, cette
impression d'être les complices de la mort que donnent les gestes par lesquels on reconnaît qu'elle a
passé, ces terribles gestes de vivant qui remet de
l'ordre, songe à la lessive, trie et jette, ces gestes qui
vont commencer dans quelques heures, que Delphine ne verra pas, mais qu'elle prévoit quand elle
dit que le verre est trop lourd pour ses forces, qu'on
l'aide à le tenir, sinon elle renversera, parce qu'elle

241

sait bien qu'après elle tout va continuer et qu'elle pense aux taches, comme sa mère lui a appris et comme elle a appris à ses enfants.

Elle est très pâle. Elle regarde Letellier. Il comprend la question qu'elle pose et hoche doucement la tête.

— Je suis si fatiguée, dit-elle.

Puis reste immobile, les yeux clos. On croirait qu'elle somnole, mais elle rassemble ses forces.

— Il ne faut pas que vous restiez. Letellier prendra soin de moi. Si vous êtes tous là, je ne pourrai pas me défendre de penser à vous et maintenant, je veux ne m'occuper que de ce qui m'arrive. Séparons-nous.

Mathilde veut protester, mais Pauline la retient.

— Je veux savoir comment nous nous quittons, quels sont les derniers mots que je vous dis, ceux que vous me répondez, je veux que tout soit clair à ce sujet dans mon esprit, que rien ne m'échappe. Je ne veux pas vous quitter dans la brume.

Elle est essoufflée, se tait un instant, répète :

— Je veux ne penser qu'à moi. C'est très difficile.

Ils sont surpris. Il faut donc se séparer avant la fin ? Le temps de l'avidité est fini ? Mais elle est si ferme, sa demande est si claire qu'ils comprennent : on ne meurt bien qu'en tête à tête avec soi-même. Ils regardent Letellier docile au vœu de Delphine et qui n'ose pas lever les yeux vers eux. Alors, ils obéissent. Louis emmène Pauline, Mathilde et Paul chez lui, où ils passeront la nuit dans une attente silencieuse.

# 10

## *Agnus Dei*

Quand elle fut seule avec Letellier :

— Vous me connaissez. Ne laissez rien se produire qui soit contraire à ma dignité.

— Je vous le promets.

Il y eut un long silence, puis Delphine sourit :

— Dites-moi si c'est la faiblesse ou si j'ai vraiment dit tout ce que je voulais : je ne sais pas de quoi parler.

Il ne répondit pas.

Au moment où ses forces diminuèrent encore, elle se tendit, se força. On entendait à peine sa voix :

— C'était du laisser-aller. Je dois rester aux commandes jusqu'au bout. J'ai le corps qui meurt, j'allais laisser mon esprit s'arrêter le premier. Ne me permettez pas de me taire trop longtemps.

Alors il trouva le moyen de lui parler et ne put jamais se souvenir de ce qu'il avait dit. Il était entièrement concentré sur le corps si frêle qu'il tenait avec une infinie tendresse.

—Je sens bien que tout se termine. C'est étrange, il n'y a que moi qui disparaisse. Par moments, j'entends votre voix, mais c'est comme si vous étiez très loin. Je n'aime pas ces vagues de silence qui me passent dedans. Je ne veux pas mourir par petits morceaux.

Vers une heure du matin, elle eut très froid. Il l'enlaça plus étroitement, l'enveloppant autant qu'il pouvait. C'est ainsi qu'elle s'engagea sur ce chemin qu'on parcourt une seule fois. Elle pensa qu'elle s'absorberait dans chaque pas, qu'elle ne perdrait pas un instant de cet ultime trajet. Elle n'aurait plus de distraction, chaque battement de cœur, chaque respiration serait un événement grave qu'elle vivrait avec soin. Elle ne se permettrait pas la moindre négligence. Ce corps vivant qui allait s'arrêter, la chaleur, le bruit sourd de son sang qui avait accompagné sa vie : elle sut qu'elle n'avait jamais rien possédé d'autre. Je suis cette chair, pensa-t-elle, ce mystère, et je suis ma pensée qui va bientôt finir. Elle murmura :

—J'émigre.

Alors elle s'abandonna tout à fait aux bras qui la tenaient et commença d'écouter ce cœur dont les battements étaient comptés.

— C'était moi, dit-elle.

# TABLE

Achevé d'imprimer en février 2000
sur presse Cameron
par **Bussière Camedan Imprimeries**
à Saint-Amand-Montrond (Cher)
pour le compte des éditions Grasset
61, rue des Saints-Pères, 75006 Paris

N° d'Édition : 11358. N° d'Impression : 000464/4
Dépôt légal : février 2000.
*Imprimé en France*
ISBN 2-246-58891-X